KB103799

다들 잘 지내?

너는 누구니? ; 윤정현 두 번째 시집

발 행 | 2024년 03월 12일
그 림 | 박수미
글 | 윤정현
펴낸이 | 윤정현
펴낸곳 | 행복스쿨
출판사등록 | 2020. 07. 03. (제2020-51호)
주 소 | 서울 성북구 장위로 135-4, 101호(장위동)
전 화 | 070-4529-1416
이메일 | yihy7@paran.com
ISBN | 979-11-973226-1-7
www.hpschool.modoo.at

다들 잘 지내?

너는 누구니? ; 윤 정 현 두 번째 시집

그림 박수미
글 윤정현

목 차

프롤로그

대한민국은 위대한 나라이자 세계인들에게 축복을 나누어주는 민족이다. 고대로부터 지금까지 수많은 수탈과 난관을 겪었지만, 다른 나라를 해하려 하지 않고, 오히려 다 함께 잘 사는 길을 모색했다. 그것은 지금도 세계 각지에서 이루어지고 있다. 이는 '우리'라는 공동체 정신이며, 홍익인간의 정신이다. 한(恨)과 정(情), 아리랑과 강강술래에 담겨 있다. 이로 인하여 시대마다 고비마다 위대한 영웅들을 탄생시켰다.

지금의 영웅은 손흥민, 방탄소년단, 김연아와 같은 지덕체를 갖춘 사람들이다. 아시안컵 8강에서 탈락한 호주 축구팀 특집을 방영한 호주 ABC방송의 앵커는 손흥민을 이렇게 말했다. "'우리'라는 단어는 정말 낯선 단어다. 한국에서 말하는 '우리'는 많은 뜻을 담고 있다. 손흥민이 입에 달고 사는 말이기도 하다. 우리나라에도 '우리'의 가치, '우리'의 힘이 널리 퍼지길 기원한다."라고.

예전에는 전쟁에서 승리한 장수가 영웅이었다면, 지금과 같은 스포츠, 연예, 문화예술의 부흥기에는 뛰어난 재능을 갖추었으나 겸손하고, 타인을 배려하려는 사람들이 진정한 영웅이다. 자신들이 가진 인기와 부와 명예를 이기적 교만의 결과물로만 가져가지 않고, 모든 이를 향한 따뜻한 이타애로 함께 살아가려는 사람들, 곧 능동적 의지를 발휘하려는 사람들이 진정한 구세주다. K-한류가 그래서 뜨는 이유이기도 할 것이다. 세상에 없는 따뜻함과 이로움을 맛볼 수 있기 때문에.

구세주의 뜻이 무엇일까?
그리고 구세주들이 진정으로 하고자 했던 일이 무엇인가?

구세주(救世主)는 세상 사람들을 어려움이나 고통에서 구해주는 주인공들을 말한다. 또 그들의 구호는 한결같이 '네 이웃을 네 몸과 같이 사랑하라'는 이타애였다. 그런데 그런 일을 몸으로, 또 삶으로 자신의 직업을 통하여 실천하는 사람들이 있다. 이들이 구세주가 아니면 누가 구세주인가? 말로만 외치면서 오히려 사회 혼란을 일으키는 사이비들이 구세주일까? 아니면 종교라는 가면을 쓰고 자신들만의 이기적인 감옥에서 타인을 비난하면서 흉내만 내는 사람들이 구세주일까? 이미 시대는 바뀌었고, 정신적, 종교적, 문화적 개념의 틀은 저만큼 앞서가고 있다.

지금은 언어의 틀에 갇혀 있는 시대가 아님을 느낀다. 삶과 따뜻한 마음을 통하여 국경과 민족, 종교와 인종을 초월하여 모두가 느끼고, 깨닫는 시대가 되었다. 자신을 미워하고 싫어하는 사람들까지 감싸 안은 손흥민과 같은 사람들로 인하여 세상은 바뀌고 있다. 그의 모본된 삶의 모델링은 그를 싫어했던 사람들까지 감싸 안은 '우리'라는 따뜻한 마음을 표현하는 진정성에 닫혔던 차가운 마음들까지 녹아내리게 된다.

시대가 바뀌었는데 아직도 구호만 외치는 사람들을 본다. 마음에 와닿지 않은 그들의 외침은 '너나 잘하세요!'라는 공허한 메아리만 될 뿐이다. 이제 겸허한 자세로 우리 시대를 돌아보고 자본주의 한계의 끝에 이르렀음을 직시해야 하지 않을까? 더 이상 물질 만능주의 문명으로는 인류의 미래를 보장하기 어렵다는 결론에 다다랐음을 체감한다.

그렇다면 지금의 문명을 성찰하고, 돌이켜 새로운 문명의 전환기에 미래로 나아갈 문명에 대해서 통찰하는 꿰뚫음이 필요하다. 이는 후대 사랑스런 자손들에게 물려줄 지구에 대한 지금을 살아가는 사람들이 질문해야 할 사명이요 의무라고 생각한다. 그러한 정신적 사상에 대하여 대한민국은 태고로부터 DNA에 유전적 기질로 물려받았다는 사실이다. 이것은 인류의 유산이다. 우리 인류가 더 나은 문명을 개척하고, 함께 공존하는 방향을 모색할 밑바탕이 되는 것이다.

이 시집은 그러한 마음을 담아 표현하고자 하는 시도를 하였다. 시(詩)란 무엇일까? 시를 쓰고, 시를 통해 전달하고자 하는 진정한 목적성은 무엇일까? 문학의 아름다움? 이해하기 어려운 고차원의 수사법? 문법적 표현의 완벽함? 그것을 통하여 전달하고자 하는 의도는 무엇일까?

시는 인간을 담아내는 언어요 삶의 깊은 의미를 포착하여 함축적으로 노래하는 철학이다. 사람들이 그 시를 읽고 공감하고, 진리 곧 더 나은 삶의 의미를 발견하고, 더 행복한 삶으로 나아가기를 바라는 행복 안내서와 같다. 각자가 발견한 삶의 철학을 에세이와 같은 직접적 표현보다는 메타적 비유를 통하여 우화와 동화처럼 쉽게 이해의 영역으로 들어와 삶으로 스며들 수 있도록 시인의 언어를 통하여 전달하는 언어의 예술이다.

모든 예술은 인간을 담는다. 인간처럼 복잡하고, 변덕이 심하여 이기적인 마음을 저 깊은 심연에 감추고, 전달하는 존재는 이 세상에 없다. 자연은 있는 그대로 표현한다. 하지만 인간은 자신이 가진 온갖 생각을 동원하여 자신에게 유리한 방식으로 표현하기를 어려서부터 아니 유전적으로 각인되어 있다. 그만큼 닫힌 존재이며, 타인에게 진정한 마음의 문을 잘 열지 않는다.

하지만 세상을 살아가려면 혼자서는 살아갈 수 없다. 너무 외롭기 때문이다. 그래서 가까운 존재를 찾는다. 마음을 터놓고 대화할 수 있는 좋은 친구, 곧 소울메이트와 같은 존재다. 이런 친구는 쉽게 얻을 수 없다. 마음을 줄 때 가능하다. 그때 상대도 서서히 마음의 문을 열어주기 때문이다. 물질주의가 강화된 현대 사회일수록 이 현상은 더 강화되었다. 이용만 하여 서로 마음의 문을 잘 열어주지 않기 때문이다.

이런 가운데 손흥민과 같은 사람은 먼저 다가와 손을 내밀어 준 성숙한 품격의 소유자다. 모든 것을 가졌으면서도 겸손하게 그리고 존중하면서 사람을 대할 줄 안다. 더더구나 아픈 사람들을 세심히

살필 줄 알며, 어린아이에게까지 그는 마음을 다하여 따뜻한 눈빛으로 다가올 줄 안다. 누가 그와 같은 사람에게 마음을 열어주지 않겠는가? 누가 그를 사랑하지 않겠는가? 만인의 사랑을 받을 수밖에 없는 인간의 향기를 느끼게 해 준다.

지금 우리들에게 필요한 것은 이러한 인간의 향기다. 너무 차가운 세상이다. 마치 스크루지 할아버지처럼 추운 겨울집에 모두 갇혀 있다. 그 공간에서 스크루지에게 봄이 있다는 사실을 깨닫도록 이끌어준 것은 유령을 통한 과거, 현재, 미래를 직시하였을 때다. 우리는 자신을 안다고 하지만 이러한 직시, 곧 내면의 거울과 마주하는 느낌의 앎은 부족하다.

이러한 직시는 자신의 대화를 녹음해서 다시 들을 때 느끼는 감정과 같다. 자신이 평소 어떤 느낌이 들어간 언어를 사용하는지 거의 대부분 인지하지 못하고 사용한다. 하지만 자신의 통화나 대화 내용을 녹음해서 들어보면 오그라들거나 부끄러운 느낌의 감정들이 그대로 드러난다. 이렇게 직시하도록 알려주는 것이 존경하는 사람들의 성숙한 삶이나 예술을 통하여 감동받고, 마음이 숙연해지는 감각이다. 또 시와 같은 언어의 표현을 통하여 공감하도록 대변해 주는 감각이 자신을 돌아보는 직시와 같다.

우리는 이러한 경험을 통하여 삶을 한층 더 풍요롭고, 성숙하면서 품격 있는 삶으로 나아가게 이끌어준다. 여기에 실린 시의 향기들이 우리 사회가 더 따뜻하고, 아름다운 나눔으로 풍성하게 가꾸어 나가기를 기도해본다.

윤 정 현

Love
HAPPY

제1장 사 랑

사랑의 연금술사 | 거기 있었던 거야 | 애초에 이게 가능한가? | 있잖아 | 별거 아닌 게 | 순수한 사랑만이 전부야 | 사랑에 목마른 영혼들이여 | 사랑이 그 모든 것을 가능케 해 | 사랑의 흔적 | 사랑하는 이를 위한 기도 | 사랑의 선물 | 엄마는 그렇게 태어난다 | 보고 싶은 내 사랑아 | 너 반짝반짝 빛나는 거 알아 | 멀리서 당신이 오오 | 너에게 들려주는 노래

사랑의 연금술사

아무도 가지 않아
거긴 버려진 황폐한 땅

매일 수레바퀴 돌 듯
반복되는 버거움에

돌아볼 겨를 없지만
그녀는 외면치 않았어

울고 있잖아
발걸음을 뗄 수 없어

다시 돌아오기를
반복하고 반복했어

황폐했던 곳 어느덧
사랑이 돋아나기 시작했어

♠ **속삭임 | 힐러의 메시지**

가지 않는 길을 가는 사람들이 있다
남들이 보지 못하는 것을 보는 이들이 있다
가슴의 소리를 듣는 이들이다
그분들의 사랑의 손길에 경의를 표한다

거기 있었던 거야

너무 외로웠어
불러도 불러도
대답하지 않았어

누구도 없었지
어디로 가야 할지 몰랐어
그래서 울었어

말은 해야 했는데
무언가 아니었는데
텅 빈 마음을 안고 소리쳤지

어디로 가야 하냐고

사랑받고 싶었어
인정받고 싶었어
누군가 알아주었으면
누군가 친구가 되어주었으면
하고 말야

오랜 시간을 돌고 돌아
나와 같은 너를 보았지
너도 울고 있더라고

그런데 모든 사람이 그랬어

텅 비었는데
공허한데
소름 끼치도록 외로운데

그들도 어디로 가야 할지 몰라서
앞만 보고 걷더라고
외로움의 옷깃을 여미면서

그래서 그들에게로 들어갔지
그들을 안아주고
그들을 인정해 주고
그들의 친구가 되어주었지

그때 소름 끼치던 외로움은
소리 없는 따뜻함으로 다가왔어

아, 거기 있었구나
사랑은
찾는 것도
받는 것도 아닌
그의 곁에 있어주는 거구나

그냥

♠ **속삭임 | 힐러의 메시지**
사랑은 알아주기를 기다리고 있었다

애초에 이게 가능한가?

가능하지 않은 사랑을
가능한 사랑의 영역으로
끌어 올 수 있는 힘

그것은 사랑의 힘이다!

그 사랑은 확신에서 오며
그 확신은 믿음에서 탄생한다.
그 믿음은 무언가를 바라는 소망에서 태동한다.

그 소망은 무얼까?

그것은 더 나은 세상이다.
올바른 세상
행복한 세상
공존의 세상
너와 나를 이롭게 하는 공동체 세상 말이다.

이러한 소망은 어떻게 태동할까?

그것은 모든 인류의 가슴에 새겨진 계명이다.
그래야만 한다는 진리
서로 사랑해야 한다는 진리
옳은 것을 선택해야 한다는 양심의 나침반
옳지 않은 것을 거절해야 한다는 내면의 소리

그것은 인간의 영혼에 새겨진 율법이다.

인간의 진정한 의식은
그것을 따르도록
본디부터 설계되어 있다.

왜냐하면 인간이란 존재는
오로지 그래야만 행복하기 때문이다.

그 내면의 길을 벗어나면
인간은 공허해진다.
삶은 무의미해지고,
그대가 곁에 있어도 외롭다는 메아리는
죽을 때까지 우리 곁을 맴돈다.

타인을 사랑하지 않을래야
않을 수 없도록 그렇게 설계되어 있다.

네 이웃을
네 몸처럼 사랑하라는 지상 명령은
바로 우리 자신의 행복을 위해
전해준 기회이며 선물이다.

그렇게 자기 행복을 위해
이기적으로 살면 살수록
희한하게 행복은 멀어진다.

오히려 더 불행하고

더 불안하고
더 외롭고
더 공허해진다.

그런데 그 스크루지의 겨울집에서 벗어나
이웃에게 마음의 문을 열었더니
처음으로 집에 꽃이 피기 시작했다.

하지만 인간의 자아는 본디 이기적으로
태어나면서부터 스크루지의 길을 걷기 때문에
쉽게 홍익인간의 길로 들어서지는 않는다.

그것은 오랜 시간 방황하고
죽을 고비를 넘기고
지독한 외로움과 고독에 젖고
삶의 공허와 무의미를 체험한 후
다시 의미 있는 삶을 찾기 시작하면서 입문한다.

다양한 입문서를 통해
결론은 하나임을 발견한다.

철학은 지혜를
심리학은 내면의 길을
역사는 거울을
종교는 사랑을
그리고 무의식은 옳음을 지향한다.

그렇게 성현들이 전수했던 진리는

이웃을 사랑하는 법에 대해
마음의 문을 열고
한 걸음 한 걸음 앞으로 나아가면서 열린다.

애초에 가능하지 않았던 사랑은
다시 가능의 영역으로
불러줌으로
그 사랑은 완성된다.

♠ 속삭임 | 힐러의 메시지
네가 불러주기를
나는 여기서 오랜 시간 기다렸어!

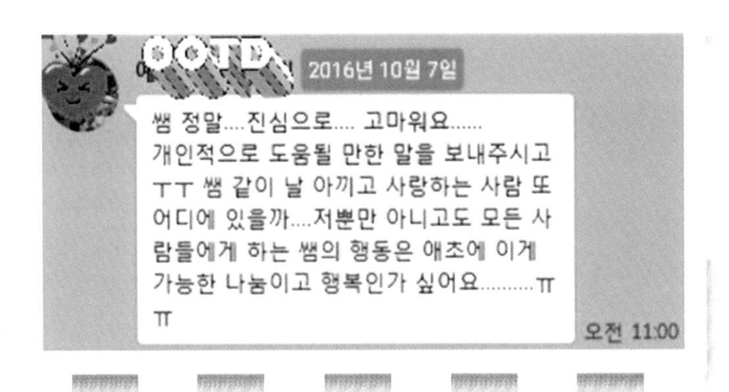

있잖아

있잖아
내가 너를 얼마나 사랑하는지
너는 모를 거야

너는
그냥 마음이 편하고
힐링되고
대화 같은 대화를 통해
소통의 즐거움을 느끼기에 만나지만

난
네가 서 있는 모습
네가 힘든 세상에 걷는 걸음
네가 하루하루 밥을 먹고
또 다른 내일을 위해 준비하는 일상들

그리고
그냥 네가 호흡하는
그 한 호흡 호흡이
내게는 억만금의 돈보다
더욱 네가 사랑스러워

네가 이 세상에
그냥 살아 있음만으로
내게는 내 생명보다 더

소중하게 느껴지는 선물이야

네가 그런 자유와
무한의 행복 속에서
너만의 세상을 그려가길 기도해

세상은 너에게
눈물과 아픔을 주기도 하지만
가끔은 아주 가끔은
선물을 주기도 하거든

그래서 우리는
슬픔과 외로움 속에서도
그런 꽃향기를 맡으며
내일을 향해 걷는 거야

♠ 속삭임 | 힐러의 메시지
너도 모르지만
너로 인해 행복해하는 사람이
있다는 사실을 기억해

별거 아닌 게

따지고 보면
행복이 별거 아닌데

서로를 즐겁고
신뢰하는 사이로 만들어주면 되는데

겉과 속이 다른 계산을 하려 하니
그 작은 잔머리가
서로를 피곤케 해

자기도 모르게 사기를 속이려는 자나
상대를 이기적인 대상화로 포섭되는 자나
행복할 수가 없어

하지만 상대를 기쁘고
기분 좋게 하려는 자는
자신 또한 순수하기에
서로를 가장 행복한 상태로 이끌어줘

인생에서 삶의 행복은
별거 아닌 데에 있기도 해

별거 아닌 게 별거이고
별거인 게 별거 아니게 되는

나, 너에게
그렇게 다가가려 해

♠ 속삭임 | 힐러의 메시지
사소하다고 생각하는 그것
그게 전부야

순수한 사랑만이 전부야

왜 조건 없는 사랑
무조건적인 사랑
사심 없는 순수한 사랑이 아름다운지 아니?

그건 말이야
그런 사랑을 하면 할수록
미치도록 행복하다는 거야!

감히 사심을 갖고
이기적인 사랑을 하는 사람들은
상상할 수도 없는 사랑을 느낄 수 있어.

삶이 행복하지 않다는
그래서 하루하루가 무의미하고
죽고 싶을 정도로 공허함을 느낀다면

제발 이런 사랑을 해봐!
이건 에로스의 사랑이 아냐!
플라토닉 사랑과
필리아적 사랑을 넘어
아가페적인 사랑의 순수함만이 정수야!

상대방이 몰라도 할 수 있는 사랑
'왜 저렇게 살아야 하는데',
그럴지라도 오로지 상대방이

잘 되기만을 기도할 수 있는 마음으로
온 마음이 그를 향하는 사랑

하지만 이 사랑은 맹목적이지는 않아!
실수와 잘못, 오해와 부족함에 대해 관대한 것이지
절대 불의함이나 악을 보고도 모른 척하지는 않아!
왜냐하면 그것은 절대로 그를 사랑하는 것은 아니기에

진정한 사랑은
상대의 잘못된 선택에 대해 자유를 빼앗지는 않지만
같이 동참하지는 않기에
따끔한 조언도 할 줄 알지.
그가 오로지 잘 되기만을 바라기에

그래도 끝까지 불의한 길을 선택하는 자들이 있어.
그러면 아프지만
고통스럽지만 보내줘.

사랑은 무한으로 한량없이 주지만
불의의 길을 지지하거나
같이 동참하지는 않아!
그가 아무리 가까운 사이일지라도 말이야.

그게 거룩한 사랑이야!
조건 없이
차별 없이
무한으로 사랑하지만
옳지 않음에는 단호히 거절할 줄 알지.

내 자식이 잘 되기만을 바라지만
잘못되는 것도 원하지 않아!
하지만 거기에는
상대가 어떠한 선택을 할지라도
자유의지를 절대로 빼앗지는 않아!

충고를 할지언정

진짜 엄마의 마음을 가졌거든
아니 그보다 더 큰마음을

사랑아!
너는 아름다움 자체야!
이미 너무너무 예쁘도록 빛나!
그러니 어찌 사랑스럽지 아니할까!

♠ **속삭임 | 힐러의 메시지**
너는 빛으로 온 천사야

사랑에 목마른 영혼들이여

진정한 사랑을 하고 싶다면
진정성 있는 사랑을 받고 싶다면
진실한 사랑이 무엇인지 알고 싶다면

사랑은
그 무엇 때문이 아닌
그냥 사랑하고
그냥 사랑받는
그런 사람을 만나기를

사랑이 무얼까?
진정한 사랑은 단순히 좋아함을 넘어서
사량(思量)이라는 고어처럼
생각을 많이 헤아릴 때 이루어져

서로가 서로를 위해
생각을 많이 하는
이는 곧 관심과 배려이겠지

말로는 좋아한다 사랑한다 해놓고
상대가 무엇을 좋아하고
무엇을 싫어하는지 무관심하다면
그건 사랑이 아닌 거지

호불호를 알았다면

그다음은 무얼까?

이제 관심사를 알아보려고
상대를 깊이 관찰해야지

그의 언어
그의 표정
그의 몸짓
그의 눈빛
그의 행동
그의 표현들

그는 어떤 음식을 좋아하지?
그녀는 어떤 영화를 좋아하지?
그의 취미는?
그녀의 취향은?
그가 즐거워하는 것은?
그녀가 미소 짓는 일은?
가장 고맙고 감사하게 생각하는 것은 뭐지?

이제 관심사를 알았으니
다음은 배려를 작동해야지

배려란 행동으로 옮기는 것
금융 치료라는 말처럼
사랑의 표현은 상대방이 느끼고 인식하도록
액션을 취하는 거야

따뜻하고 편안한 언어
상대가 기뻐하는 마음이 담긴 선물
자신이 존중받고 있음을 느끼는 행동
사랑이란 이처럼
자신이 그렇다고 생각하는 것이 아니라
상대가 느끼고 고마워하는 그런 것들이지

그것은 상대로 하여금 저절로 사랑이 싹트게 해
신뢰가 쌓이고
미소와 기쁨이 넘치며
행복은 그와 함께 덤으로 오는 거지

행복이란
장기적으로 보면
그것이 무엇 때문에 이루어진다면
그것이 사라지는 순간 아무것도 남지 않아
사랑과 행복은 그 무엇과 함께 사라지지

무엇이 없더라도
그대로 인하여 미소가 지어진다면
그대의 존재 자체로 행복하다면
그것만이 영원해

사랑으로 만났다면
사랑만을 받았고
사랑만을 주었기에
그 사랑의 끈으로 영원해

다른 것은 없어
그것으로 영원히 행복할 수 있지

♠ 속삭임 | 힐러의 메시지
당신의 사랑을 응원하면서

사랑이 그 모든 것을 가능케 해

널 사랑해
죽을 만큼 아니
나 자신보다 너를 더 사랑해

네가 행복의 세계로 돌아올 수 있다면
무엇을 못 주겠으며
무엇을 못 할까?

네가 슬퍼하는 이곳 지구에서
사랑과 행복을 발견한다면
내 모든 것을 주고도 너와 바꾸리

그것만 네가 가진다면
그것만 네가 안다면
너는 울지 않아도 돼
그건 너에게 무한한 행복 그 자체이니까

세상이 그렇게 슬픈 것만 아냐
세상이 그렇게 나쁜 것만 아냐
너를 끔찍이 아끼고 사랑하는 이 있어

가끔은 미친 척하고 도전해 봐
가끔은 미친 척하고 말을 걸어봐
거기 너를 만나기 위해
오래전부터 널 기다리고 있는 이가 있어

네가 가진 것이 없다고 자괴감 갖지 마
네가 가진 것이 많다고 거만하게 굴지 마
그건 없다가 있고
있다가 사라질 먼지일 뿐이야

네 자체로 너를 사랑하고
네가 그냥 있음으로 고마워하는
그런 존재가 이 지구에 함께 살아가고 있어

네가 호흡하는 모습이 예뻐서
네가 밥을 먹는 모습이 사랑스러워서
네가 울거나 웃거나
너의 일거수일투족이 너무나 고귀해서
너를 따라다니는 이가 있어

너보다 너를 더 사랑해서
떠나려는 너보다
너를 더 사랑해서 기다리는 이가 있어
그를 울리지 마

사랑스러운 아이의 모습은
엄마에게 전부이며 모든 것이야
잘못을 해도 용서되고
그냥 있음으로 행복을 주는 존재야

또 예쁜 짓 하는 그 아이에게
조금 전 잘못했던 것은 다 잊고

무한한 사랑과 애정을 보내
넌 그런 존재야

그를 찾아
그는 엄마이며 아빠이며
너의 존재의 의미이며
너 자신이야
네가 사랑을 품고 이곳에 살아갈 이유야

그 사랑을 받는다면
그 사랑을 갖는다면
그 사랑을 안다면
그것은 모든 순간이 가능해
그 사랑이 모든 것을 가능케 해

♠ 속삭임 | 힐러의 메시지
사랑이 머물다간 자리는 보여

사랑의 흔적

사람이든 동물이든
자신을 알아준다는 것은
고맙고 눈물나는 일이다.

그것이 드물기에 사람은
인정에 목마르다.
칭찬에 목마르다.

알아준다는 것은
곧 사랑하고 있다는 말이다.

사람은 사랑에 목마르면서
그 사랑에 가장 인색하다.

그것은 상처를 받을까 하는
아픔과 두려움 때문이다.

이렇게 쉽게 문을 열고
들어오지 못하는 세상에
누군가 과감하게 그 문을 열고
손을 내밀어준다는 것은 용기요 사랑이다.

그래서 고마운 것이다.

누구나 쉽게 할 수 있지만

누구나 쉽게 하지 못하는
그 사랑을
할 수 있는 사람은
두려움과 맞서 싸운 사람이다.

우리가 진정한 사랑을 해내기 위해서는
두려움과 맞서는 경험을 할 수 있어야 한다.

사랑이 그 가운데
기다리고 있기 때문이다.

♠ 속삭임 | 힐러의 메시지

사랑의 흔적에는
두려움과 아픔이 스며있다
그것이 그것을 넘어설 수 있도록 돕는다

사랑하는 이를 위한 기도

신이시여
사랑하는 ○○이를 위해
하늘의 무한한 축복을 내리소서

너무 사랑스럽고 예쁘고
하늘의 별처럼 아름다운
그녀에게 무한한 애정을 보냅니다

그녀의 결혼이 선물이 되며
그녀가 이룰 가정이 행복이 넘치며
그녀 가족에게 웃음이 그치지 않게 하소서

그녀는 사랑받았으며
아름다운 사랑을 나눌 줄 알고
심장이 따뜻하며
연민의 눈동자를 가졌습니다

신의 선택받은 이여
하늘의 축복받은 이여
만인의 사랑받는 이여

당신의 향기를 맡게 하소서
그 사랑의 고픈 이들로 하여금
채움 받게 하소서

당신이 여기에 왔고
부름에 응한 의미는
차갑게 식어버린 사람들,
그들 심장에 뜨거움을 나누기 위함이니

당신 자신을 통해 드러냈고
당신 가정에서 꽃 피울 그 사랑을
또 다른 이들과 함께 하기를

당신과 한 시대에 살아가는
사람으로서
감사와 고마움의 마음을 담아
사랑과 축복의 기도를 보냅니다

♠ 속삭임 | 힐러의 메시지
사랑이라는 길 위의 여행자 그녀에게

사랑의 선물

보고 싶다
네가 너무 그리워

떠나 온 지 얼마인지
기억도 안 나

하지만 널 잊을 순 없어
넌 나의 전부이기에

여기를 가고
저기를 가도
오로지 네 생각뿐
그 무엇도 의미가 없어

네가 없다면
그 무엇이 의미 있을까

너와의 인연
너와의 사랑
너와의 행복

사람은 그런 것 같아
인연이 되어 만나고
그 만남으로 정을 주고받으며
사랑이 익어 가면

다시는 잊을 수 없는 기억이라는 거

바닷가 모래알처럼
많은 사람들 가운데
너를 알게 된 건 축복이야
너를 만남은 선물이었어
여기로 온 이유를 알게 한

자녀와의 만남
연인과의 만남
부부의 만남
영원한 친구의 만남
그리고 진정한 자신과의 만남
또 신과의 만남들이 그러하겠지

다만 거기에 의미가 없다면
공허와 허무만이 맴돌고
극도의 외로움과
빈껍데기 무의미만 남는 관계겠지

그 만남이 축복이 되려면
그래,
의미를 만들어 가자
영원히 잊혀지지 않을 의미를

그건 너와 나의 의무이겠지
우리의 행복을 창조할
우리의 권리를 누릴

사랑의 의무 말야

나 너를 만나
그 의무를 알게 해주어 감사해
이런 행복과
이런 사랑을 할 수 있는 나로
살아갈 수 있도록 네가 알게 해 주었잖아
고마워

죽는 날 마지막 그 순간까지
네가 없을지라도
그 누가 알지 못할지라도
그 사랑을 간직하며
삶의 약속을 지켜갈 거야

너가 없는 공간을
너가 있는 나눔으로

고마워
사랑해

♠ 속삭임 | 힐러의 메시지

나에게 사랑을 가르쳐준 너에게

엄마는 그렇게 태어난다

내 가슴으로 낳은 아이야
내 모든 생명을 주고 잉태하였으며
내 영혼으로 너를 붙들었다

내가 어찌 너를 떠나가며
내가 어찌 너를 잊으며
내가 어찌 너를 사랑치 않으리오

토방 밑에 떨어진 공깃돌을 주우며
겨우내 시린 손을 모으고
고구마와 무수를 까먹고
마당에 모닥불 피워놓고 뛰놀던
나의 아이야

네가 얼마나 예쁜지
네가 얼마나 사랑스러운지
무엇으로 내 사랑을 전할까

너는 네가 얼마나 소중한지를 몰라
그렇게 함부로 너를 대하지 않기를
나는 너를 물끄러미 그냥 바라봐

나의 이 사랑을
나의 이 아픔을
나의 이 간절함을

너는 알기는 할까

네가 잘 되기를
네가 행복하기를
긴 밤을 지나 새벽이 밝기까지
네 얼굴에 미소가 떠나가지 않기를
얼마나 간절히 기도하고 기도했는지

너의 시간이 오면
너는 알게 될 거야
이토록 사무치게 너를 기다렸음을
이토록 사무치게 너를 사랑했음을

그러니 그때까지 걸어가
너의 시간이 오면
너 또한 너의 짐을 지고
위대한 발걸음을 내디딜 거야

모두를 안을 수 있는 큰마음으로
사랑은 그렇게 이어왔고
사랑은 또다시 그렇게 이어갈 거야

♠ 속삭임 | 힐러의 메시지
사랑은 무심으로 바라볼 수 있는 힘

보고 싶은 내 사랑아

너 울고 있었지
네가 울고 있다면
내 마음은 고통스러워

어떻게 달래줄까
오로지 그 생각뿐이야

네가 너무 여리기에
네가 너무 아파하기에
네 바로 앞에 있는 선물도
네 바로 앞에 있는 행복도
알아볼 수 없어 거절했지

그래 알아
네가 어린걸
네가 모르는 걸 어떡해

넌 나의 전부야
하지만 너의 행복을 위해
이끌어주어야 해

무한으로 품지만
무작정으로 하지는 않아
네 스스로 일어설 수 있도록
네 손을 잡아줄 거야

네가 아는 듯 모르는 듯

잘 되는 듯 아닌 듯
무언가 모르게
도움을 받는 것 같지만
스스로 걸어야 하는 것처럼

그렇게 성숙하게
성장할 수 있도록
네 손을 잡아줄 거야

그러니 이제 울지 마
더 이상 슬퍼하지 말고
저 하늘을 봐
너를 향해 무한한 사랑을 보내주는
그 손길을 의지하고 걸어가

너는 축복받은 아이이며
너는 모두에게 위대한 선물이야
너 자신과 모두에게

사랑을 먹고 태어난 아이야
그 사랑을 계속 받아
너의 미래로 달려가렴

그 길의 끝에 기다리고 있을게
걸음마다 함께 하면서

♠ 속삭임 | 힐러의 메시지
내 심장을 걸고 너를 지키겠다고 약속해

너 반짝반짝 빛나는 거 알아

너 알아?
너 빛나고 있어!
반짝반짝
너무너무 사랑스럽게
너무너무 어여쁘게 말야!

어제 보고 오늘 보면 몰라
이어져 1년이 지나고
다시 10년이 지나도 같아!

매일 보았거든
외모든
성격이든
인격이든
재능도 그래.
그것은 서서히 달라져.

그래서 나이 마흔이 되면
자기 얼굴에 책임을 지라고 했어.

유시민 작가가 그랬지
정치를 그만둘 때
지나온 날들의 자기 사진을 보았는데
너무 불행한 모습뿐인 거야!

분노하고
짜증 내고
찡그리고
감정 폭발하고
일그러진 자화상을 보면서
이렇게 살아서는 안 되겠다고
그리고 그는 작가의 삶으로 돌아왔지.

미디어에 오르는 사람들 얼굴을 자세히 봐봐!
젊었을 때
10년 전
20년 전
부드럽고 온화하며 평온했던
그들의 얼굴이 얼마나 망가져 있는지를
심술보와 짜증과 욕심으로
얼굴 가득 덕지덕지 붙어있는 사람들을 종종 봐.

하지만 자신의 부드러운 얼굴을
마흔이 아닌
오십 대에도
육십, 칠십 대에도 여전히
존경스러운 얼굴들이 있어.

사람들은 잘 모르지.
스스로의 선택에 의해서
평소 그들이 가진 생각과
말하는 언어와
선택하는 행동들이 쌓여

그 얼굴이 형성되는지를.

자기는 자기를 잘 몰라!
늘 봐왔거든
그래서 객관화가 중요한 거야.
남들은 금방 보이거든

객관화 교육을 받지 않으면
경청의 귀가 없으면
절대 자기는 자기를 못 봐
어제 봤던 그 모습이
오늘의 그 모습이기에

근데 너 알아?
10년 전의 너의 얼굴
우울과 짜증으로
분노와 미움으로
자괴감과 자학으로
잔뜩 찌푸려진 얼굴로 나를 만났지.

너는 모든 것을 분노했어.
네 자신과
네 환경과
네 주변을
아니 네가 태어난 것 자체를

근데 지금의 너는?
누구도 만나지 않으려던 네가

직장을 다니면서도
운동을 배우고
그림을 배우고
독서 모임을 하면서
네 자신의 배움과 성장을 위해
네 열정을 불태우는
그러면서도 네 얼굴에 미소를 띠는

삶이 힘들지 않은 사람은 없지.
우리는 모두 생계의 전장으로 뛰면서
스스로의 행복과 인격적 성장을 위해
멀리 뛰는 큰 그림을 그릴 줄 알아야 해.
삶은 짧은 듯 장거리 마라톤이기에

네 모습을 보면
너무 사랑스러워
보석처럼 반짝반짝 빛나서 말야!
그렇게 계속 앞으로 나아가
잘 가고 있으니깐

널 지켜보며 난
계속 지지와 박수를 쳐줄 거야!
너의 미소 짓는 그 얼굴이
곧 나의 행복이기에

♠ 속삭임 | 힐러의 메시지
천사와 악마는 스스로 선택한 결과야

멀리서 당신이 오오

멀리서 아주 멀리서
당신이 오는 소리가 들리오

피난민처럼
도망자처럼
시간에 쫓긴 도피자처럼

도시의 경쟁에서 몰락한 당신
강자의 압박에서 숨죽이며 살았던 당신
갑질의 세상에서 울먹이며 살았던 당신이

숨을 쉬고 싶어 날아오고 있오
찬란한 영광이 빛을 반사하며
당신의 세계로 나의 세계로 오고 있오

나 당신을 반기오
나도 울었기에 도망쳐야만 했오
슬픔이 경악을 삼키면 침묵하오
이제는 당신의 세계에서 춤추시오

새벽부터 단장하고 당신을 맞으러 나가오
혹여 어제 오시려나 기다리고 기다렸오
오늘은 오시겠지 기대감으로 가득하오

나의 임이시여

멀리서 멀리서 당신이 오고 있오
나도 함께 춤추는구려

♠ **속삭임 | 힐러의 메시지**
시간이 멈춘 곳에서 천사를 기다리며
우리의 희망을 위로해

너에게 들려주는 노래

어디에 있었니
어디로 가니

무엇을 찾는 거야
네가 찾던 것
저기에 기다리고 있어

많이 아팠지
말하지 않았지
아니 말할 수 없었지

그래 이제 침묵으로 성장한
어둠 속 이야기
터널을 지난 후 그 빛은

다른 이를 비추는
따뜻한 등불이야

소리 없이 네게 다가왔듯
소리 없이 그들에게 다가가

그들을 안아 줄 너는
사막의 오아시스

♠ **속삭임 | 힐러의 메시지**

오아시스는 사람이 찾아오지 않으면 외롭다
가장 고귀한 생명을 가졌으나 연결이 안 되면 고독하다
하지만 연결이 이루어지는 순간,
자신의 생명을 내어주며 사랑이 완성된다

제2장 친 구

너의 요리 | 소리 없는 소리 | 진짜를 주는 법 | 울고 있는 너에게 쓰는 편지 | 아무것도 아닌 것이 | 너랑 대화할 때 난 나랑도 대화해 | 친구가 좋다가도 | 너를 기다려 | 고독한 사람들 | 너의 영혼의 친구로부터 | 나 왔어! 다들 잘 지내?

너의 요리

맛있다
네가 해주는 요리는

고등어찜
생태탕
삼겹살 구이
갈치조림

왜 그럴까?
그건 너의 마음이
흠뻑 들어가서

멋있다
그렇게 나를 배려하는
너의 마음이

소소하지만
넌 그런 향기로운 요리로
나의 삶을 풍요롭게 한다.

내 삶은
너로 인해
행복으로 다시 태어난다.

♠ 속삭임 | 힐러의 메시지

너의 방문을 기다린다
너는 기쁨을 안겨 오기에

소리 없는 소리

세상에 살다 보면
들리지 않는 소리들이 많아

보고픈데 말하지 못하는 소리
가고픈데 말할 수 없는 소리
하고픈데 미안해서 하지 못하는 소리

사랑하는데
좋아하는데
갖고 싶은데
싫은데
미운데

하고 싶어도 말할 수 없는
그런 네 마음의 소리들

들리는 소리는
그 수천 개의 소리 중
단순히 무리수가 없는 것만이
밖으로 나와

하지만 이 소리를 듣는 사람이 있어
들리지도
보이지도 않는데
들리고 보이고 느끼는 사람들

바로 마음의 소리를 듣는 사람들이지
엄마는 아기의 그런 소리를 들어
사랑하기 때문에 들리지

이를 공감력이 뛰어나다고 해
너의 아픔을
너의 눈물을
너의 고통을
너의 아쉬움을
너의 한숨 소리를 듣는 사람들

마음의 소리,
감정의 느낌을 언어로 인지한다는 것은
삶이 다음 단계로 나아가고 있다는 증거야

그는 두 번째 인생으로 들어가는 거야
인간은 소리 없는 소리를 들을 때
또 다른 깊음의 세계가 있음을 깨달아

타고난 기질의 성격을 넘어
다듬어진 인격을 쌓고
타인의 마음의 소리를 들으며
그것을 가치 있게 꽃 피울 수 있다면
침묵의 아픔도
품격 있는 사랑으로 승화시킬 수 있어

사람에게서 나오는 품격은
그렇게 승화된 사랑으로 향기를 발해

♠ 속삭임 | 힐러의 메시지

사랑하는 사람이 있어?
그의 차마 말하지 못한 소리를 들어 봐!
그럼 전하지 못한 진심이 들릴 거야!

진짜를 주는 법

사람들은 진짜를 준다고 하면서
가짜를 주더라.

진짜인 듯 흙 묻은 가짜를 받고 보니
그들의 상심한 마음이 보였다.

준 사람은
진짜를 주었다고 자랑하고 다니는데
받은 사람은
진짜인 줄 알고 받았더니
포장 속 다른 마음이 들어 있더라.

왜 그런 걸 주었느냐 물으니
주기는 싫은데
남들이 주어야
명예를 가질 수 있다 알려 주더란다.

사람들은 공허로 텅 비었다.
그래서 외롭다.
그러므로 주면 받는다.

그런데 그 속이 더 비었다.
자본주의가 더 외롭게 한다.
왜냐하면 가짜를 주기 때문이다.

진짜를 줘라!
그것이 아무리 작더라도
진짜를 주면 채워진다.

받는 사람의 얼굴엔 미소를
주는 사람의 마음엔 행복을
이때 비워졌던 외로움은 채워진다.

우리는 진짜를 나누기 위해 왔다.
흉내를 내는 삶에는 의미가 없다.

진짜 삶을 살고 싶다면
진짜를 줘라!

♠ 속삭임 | 힐러의 메시지
사랑은 흉내 내지 않는다

울고 있는 너에게 쓰는 편지

혼자라고 느낄 때가 있어

혼자 이 세상에 태어났고
가족을 만나 즐겁거나
슬픈 시간을 보내고
다시 너만의 가족을 만들지

그리고 시간이 오면
다시 너만의 세계로 떠나

혼자였다가
둘이었다가
다시 혼자가 돼

너 자신을 위해
결국 혼자가 되는 경험을 위해
또 그런 두려움을 극복하기 위해
미리미리 그런 체험을 해보는 기회인 거야

그러니 너무 걱정 마
그건 네가 성장하기 위해
두 발로 걷는 법을 배우는 시간이라고

그리고 네 주변을 맴돌며
너와 같이 홀로서기를 반복하고 있는

너와 같은 아이들에게
손을 잡아주는 엄마로 살아가는 거라고
그렇게 생각해

나, 많은 시간을 홀로
방황하며
울고
아파하다가 너를 만났어

그때서야 내가
혼자가 아니라는 것을 알았어
바로 너로 인해서 말야

이제 나도 혼자가 아냐
그래서 너를 손잡아 주려고
오늘도 너를 만나러 가

너도 혼자가 아님을 알기를
마음속 간절히 기도하면서
너의 눈동자를 마주 봐

내가 너를 바라보고 있음을
내가 너를 사랑하고 있음을

♠ 속삭임 | 힐러의 메시지
울지 마
넌 혼자가 아니야

아무것도 아닌 것이

아무것도 아닌 것이
아무것이 되고

사소하게 여겼던 것이
사소하지 않게 돼

왠지 알아?
네가 그런 것을 원하기 때문이야

넌 친구에게 그래
그렇게 친하지는 않다고,
또는 우리가 밥 먹을 사이는 아니지

이렇게 무심코 뱉은 말이
돌고 돌아 그에게 돌아가

타인은 그렇게 평가할 수도 있다고 생각했는데
타인이 그렇게 평가했다는 그 말이
자신에게 돌아올 때는 비수가 돼

연인에게
그렇게 예쁘지는 않아
착하지는 않은데, 그냥 사귀어주는 거야

부모에게

나에게 해준 게 별로 없어
우리 부모는 아는 게 별로 없어서

자식에게
누굴 닮아서 저 모양 저 꼴인지
커서 뭐가 될래?

이런 말이 타인을 향할 때는
그렇게 큰 비중을 차지한다고 느끼지 않아
하지만 누가 자신을 지칭해서
하는 말이라는 것을 알 때는
평생 잊을 수 없는 충격으로 남아

넌 친구에게 이제 이렇게 말해
너를 만난 건 운명이었어
너를 알게 되어 고마워

연인에게
내게 너는 꽃이야
지친 하루에 생명을 불어넣는 존재야

부모에게
그렇게 어려운 상황에도
나를 챙겨주셔서 감사해요
눈빛에서 나를 사랑하고 있음을 봐요

자식에게
너는 내 삶의 이유야

이런 부분이 너의 강점이야

아무것도 아니라고 여겼던
바로 그곳에서 행복은 시작되고
생명은 호흡할 수 있는 여유를 준다

사실은 사소하게 여겼던 것이
우리는 기대를 하고 있다
누가 나를 어떻게 평가하고
나에게 어떤 말을 하고 있는지
안테나를 세우고 귀를 쫑긋하고 있기 때문이다

슬프다!
그 작은 인정함이
상대를 살아나게 할 수 있었던 단초였음을
그를 잃고 나서야 깨닫는다

그대가 소중하다는 것을
아는 만큼
타인을 그렇게
아니 그것의 반만큼이라도 대해줘

그때 그대는 소중해진다

♠ 속삭임 | 힐러의 메시지

아무것도 아닌 것이 소중하게 될 때
행복은 비로소 시작된다

너랑 대화할 때 난 나랑도 대화해

너랑 대화할 때
난 나랑도 대화해
왠지 알아?
언어는 총알이거든

끊임없이 쏘아대는 총알을 맞고
살아 있는 사람은 없거든
그래서 언어는 총알이야

불발탄을 맞으면 상관없어
쏘았는데 상처가 안 되지
돌려 말해서 못 알아듣거나
들어도 무반응 하는 경우지

예광탄이 있어
이는 미리 신호를 알리는 거야
본론을 말하기 전에 뜸을 들이는
사정이 있어 주저할 때는 알아주어야 하고
자기 욕심을 채우려고 할 때는 밀어내야지

공포탄은 조심해야 해
이는 살상은 아니지만 경고용이야
그렇다고 다치지 않는 게 아니야
화상이나 손상을 입을 수 있어
말을 하는데 기분이 싸하면

그건 조심하라는 신호야

최루탄은 은근히 위험해
진압이나 무력화시키기 위해 사용하지
이는 가스라이팅이나 그루밍과 같아서
심리적으로 은근히 지배하려 해
가끔은 무심코 던진 돌에 개구리가 죽을 수 있듯
사람의 마음을 가지고 장난하려는 말은
서로에게 엄청나게 위험한 결말을 초래해

실탄은 죽음을 불러
너 죽고 나 죽자고 끝장을 보려 해
거칠고 폭력적인 말이 오고 가지
이때는 피해야 해
불같이 일어난 감정을 달래줄 시간이 필요해

핵폭탄이 있어
이건 주변 사람까지 몰살이야
너무나 큰 분노가 쌓이고 쌓여서
배우자와 부모, 자녀와 지인들까지
복수하려고 하기에 제발 사람을 무시하면 안 돼
무시하는 말은 고사하고
한 번 쳐다보는 눈빛만으로도 무시당했다는 느낌은
그가 약자이거나 노숙자라 할지라도 살인을 불러

언어에는 의미가 담겨 있어
외적으론 핵심을 찌르는 총알이요
내적으로는 마음을 마사지해 주는 센스야

또 언어란 타인에게 전달하는 선물이기에
개 밥그릇에 담아 줄 것이냐
아니면 명품 그릇에 담아 줄 것이냐는
그가 가진 수준 높은 매너에 달렸어

그런데 그 수준이 저급하면
그 말의 의미는 사라지고
헛소리나 지껄이면서
오로지 자기밖에 모르는 말만 하지

마음이 통하는 대화는
겉으로는 예쁘게 포장된 선물이며
안으로는 사랑이 가득 담긴 진실이야

전달하려는 말에는
핵심 맥락을 담을 줄 알고
깊은 의미가 깃들어 있으며
상대를 소중하게 여기는 마음이 한가득 있어

그리고 마음으로 경청하는 사람은
상대의 진정성 있는 말에 가슴이 뭉클하면서
무언가 울컥 올라오는 느낌이 있어
그리고 그걸 상대에게 표현해 주지
그게 진짜 공감하는 대화야

내가 너의 대화를 듣고 있음을
끊지 않으면서도

호응해 주고 있다는

그리고 가끔 우리는
대화의 맥을 놓칠 때가 있어
그때 우리는 상대에게,
'너의 말의 의도가 이런 의미였니?'라고 질문해 주면
'아, 이 친구가 내 말을 잘 경청해주고 있구나!'라고
생각하면서 고마운 마음이 들게 해

이런 대화가 진정한 소통이야
이때 우리는 서로의 얼굴에서 미소를 보며
이런 소통만이 사람을 진정으로 행복하게 해

난 너랑 대화할 때
난 나랑도 끊임없이 대화해
대화 중에 나를 살피지
왠지 알아?
그건 네가 행복하기를 간절히 바라서야

내가 나의 이기적인 욕심을 위해서인지
아니면 너의 진정한 행복을 위해서인지
분별하고 파악하면서 내 영혼의 거울을 봐

그 순간 어떠한 말을 해야
네가 가장 행복한 순간이 될 수 있을까?
의미 없는 칭찬이 아닌
너만이 가진 가장 독특하고 핵심적인
그리고 너만이 가진 가치와 능력을

하나라도 찾아내어 들려주고 싶어서
초집중을 하고 듣지

그 자리에서
그 순간의 주인공은
오로지 너뿐이야
나는 그 자리에 없지

관찰을 통해 너를 봐
관심을 통해 너를 들어
사랑으로 너를 새겨
그리고 진심으로 너에게 모든 것을 줘
그런데 네가 행복하지 않을 수가 없지
너는 그 순간 최고로 빛난 별인데

이것이 내가
너를 만나는 순간 주는 선물이야

♠ 속삭임 | 힐러의 메시지

너는 사랑받기 위해 태어났고
너는 사랑하기 위해 살아가며
함께 사랑을 나누기 위해 여기에 있어

친구가 좋다가도

친구가 좋다가도
외로운 이유는
그에게서 실망을 발견하였기 때문이다.

가깝다고 쉽게 생각하고
별거 아니라고 하찮게 여기고
사소한 거짓말은 해도 된다고 생각하고
적은 돈이라고 갚지 않고 잊어버리는 실수들

가까운 사이
친구라고 부르는 사이
친하다고 여기는 사이에서
불쑥불쑥 일어나는 현상이다.

이는 무지하기 때문에 발생한다.

친하니깐 이해해 줄 거라는 오해
사소하기 때문에 하찮게 여기는 심리
오락 게임이기에 속여도 된다는 거짓말
자기 돈은 안 쓰면서 푼돈이라고
친하다는 사람의 주머닛돈을 쉽게 털어먹는 행동들이
오래된 사이에 결국 금이 가게 만든다.

당신은 친구에게 신뢰를 쌓아가는 인간인가?
아니면 신뢰에 금이 가도록 만들고 있는 인간인가?

당신이 신뢰를 쌓아가는 인간이라면
시간이 지날수록 그 관계는 깊어지고
삶의 행복은 증가할 것이다.

당신이 신뢰에 금이 가는 인간이라면
시간이 지날수록 그 관계는 소원해지고
그 만남은 즐겁지 아니하여 찜찜함만 늘어갈 것이다.

그런 관계는 상대에 대해 의문점만 늘어간다.
'과연 이 관계를 계속해야 할까?'라는

어떤 면에서 외로운 이유는
정신적 성숙의 차원에서
진정으로 교류할 수 있는 사람이
없음으로써 만들어진다.

성숙하지 않으면
보이지 않는 내면에서 오가는
심리적 부정직함을 우습게 여기게 된다.

이들은 자본주의 논리에 기반을 둔
외적으로 보이는 삶에 대하여 습관화되었기에
부와 권력에만 몸이 자석처럼 반응한다.

성숙한 사람일수록
보이지 않는 내면에서 이루어지는
심리적 정직함과 진실을 우선으로 여긴다.

이들은 양심과 올바름에 기반을 둔
가치관이 삶의 철학으로 체화되었기에
옳지 않음에 대하여 몸이 거부한다.

그러므로 사람이 성숙함과
성숙하지 않음의 간극이 커질수록
그 관계가 아무리 좋다가도 멀어진다.
그 관계가 학연, 지연, 혈연으로 묶였을지라도
그 만남은 즐겁거나 행복하지 않다.

지적 사유를 삶으로 만들어 가지 못한다면
지적 성장은 멈출 것이며
인격적 성숙은 향기를 발할 수 없다.

인격적 성숙을 원한다면
자신의 내면을 들여다보라!
거기 어떤 인간이 자리 잡고 있는지 알게 된다면
그토록 사소하게 여겼던 일상의 발걸음들이
얼마나 중요한 위치를 차지하고 있었는지 깨닫게 된다.

그것이 그대의 인격을 형성하여
그대 주변을 몰상식함으로 물들이느냐
아니면 향기로움으로 가득 채우느냐를 결정한다.

♠ 속삭임 | 힐러의 메시지

너의 생각이 너의 인격이다!

너를 기다려

바람이 불어오면
외로움은 옷깃을 여민다

어디로부터 왔는지 모른다
하지만 몸은 안다
춥기 때문이다

강을 건너야 하는데
외로움이 잡아당긴다

가다 지치면
그래, 멈추자

꼭 건너야 한다는
이유도 없지 않은가

여기가 거기인 줄
누가 아는가

어찌 보면 외로움은
가장 친한 친구일 수 있다

모두가 외롭기에

♠ 속삭임 | 힐러의 메시지

너를 위해 비워두었어
나의 빈자리를

고독한 사람들

어쩔 수 없어
혼자가 된 사람들이 있지

사별을 했거나
이혼을 했거나
자녀가 없거나
친구가 없거나
독신이거나
돌싱이거나

또는 사업이 망했거나
질병으로 요양 중이거나
어떤 사정으로 가족들과 별거 중이거나

사람들은 각자 나름의 사정으로
홀로 되어
고독한 시간을 이겨내야 할 거야

혼자라는 거
이 넓고 넓은 세상에
이 많고 많은 사람들 중에
혼자라는 생각은 영혼을 고갈시켜

누구나 혼자되고 싶지 않아
그건 너무나 외롭고

너무나 춥고
그건 배고픔보다 더한 고통이야

그들을 돌아봐 주길
이렇게 춥고 삭막한 사막에서
너와 내가 경쟁하지 않으면
살아남을 수 없는 지구 감옥에서
조금은 손을 내밀어줄 수 있는
마음의 여유와 용기가 있기를 소망해

지금은 독거노인들뿐만 아니라
중장년층이나 젊은층에서도
독거 생활하는 사람도 많고
청소년들 가운데 극도로 내향적이거나
히키코모리이거나 친구를 사귀기 어려운 사람들
그들의 말을 들어주거나 걸어줄 수 있기를

예전에 암 투병으로
시골에서 요양할 때
1년여간 홀로 된 시간이 있었지
그때 너무너무 외롭고
사람이 그리워서 친구에게 전화한 적 있어
보고 싶다고, 한 번 내려올 수 없냐고
오기 어렵다는 거 알지만 너무 외로웠지

거절의 아픔을 뒤로하고
산길을 걸으며 고독을 위로했지
지금은 많은 사람들을 만나고

좋은 친구들이 있어 행복해

사람이 사람 향기 나는 사람들과
함께 어우러져 산다는 것처럼
축복은 없는 거 같아
아무것이 없어도
그들과 함께 하는 시간은
너무너무 귀하고 소중한 축복이야

외로움과 아픔을 겪어 보고
가고 싶어도 갈 곳이 없고
말하고 싶어도 말할 수 있는 사람이 없고
만나고 싶어도 만날 수 있는 사람이 없을 때
그것처럼 자신이 비참하게 느껴지는 것은 없는 거 같아

지금과 같이 추운 계절에
너를 기다려
따뜻한 너의 온기를

♠ 속삭임 | 힐러의 메시지
너를 기다리고 있어
진실하게 다가오기를

너의 영혼의 친구로부터

잘 지내지?
가끔 너의 예쁜
미소 짓는 얼굴이 떠올라!
밝게 좋은 에너지를 나누어주던
긍정적이지만 침묵에 가려진
너의 모습과 함께.

많은 날들을 지나왔지만
또 지나올 날들을 위해
내일의 시간으로 걷자!

자주 만날 수 없고,
연락하기 어렵지만
난 항상 널 기억하며
응원하고 있다는 것을 잊지 마!

혼자라고 생각하지 마!
혼자라는 생각이 들 때
외롭고 누구도 날 모른다는
생각이 너를 엄습할 때
내가 항상 네 옆에 있다는 것을 기억해 줘!

네가 항상 잘 되기를
네 얼굴에 항상 미소가 떠나가지 않기를
네가 진정으로 행복하기를

너를 위해 기도하고 있다는 거

또 다른 너의 시간에
또 다른 너의 세계에서
지금과 또 다른 모습으로
빛날 너를 기대해!

그날의 또 다른 모습으로
미소 짓는 너를 항상 응원할게!

사랑스런 나의 빛난 별아!

♠ **속삭임 | 힐러의 메시지**
꿈에서도 너를 잊지 않을 거야

나 왔어! 다들 잘 지내?

"나 왔어! 다들 잘 지내?"

이 말은 '세서미 스트리트'의 엘모가
전 세계 '어른이'들에게 보내는 인사다.

50년 넘는 미국의 장수 프로그램으로
변하지 않은 빨간 털실의 인형
엘모의 무해한 인사에
2억 명의 마음을 울렸다.

"엘모, 나 너무 피곤해"
"세서미 스트리트 떠나고,
직장에 들어가니까 모든 시간이 힘들어"
"나 해고당했어. 안아줘"
"안부 물어봐 줘서 고마워"

사람들은 외롭다.
누가 안부나 근황을 물어보면 고마워한다.
자신들이 어떻게 살고 있는지
관심을 받고 있다는 사실에 위로를 받는다.
그렇게 사람들은 외로운 세상에서
서로의 입김에 의지해
힘겨운 날들을 버티며 오늘을 살아간다.

엘모는 말한다.
"친구들이 어떻게 지내는지

물어보는 게 중요하다는 걸 배웠어!"

우리도 한 번씩 따뜻하고 정겨운
마음으로 인사를 건네자.

"잘 지내니? 어떻게 지내는지 궁금해서 전화했어."

사실 자신이 더 외로워서
조심스러운 마음으로
노크하고 있다는 사실을 우리는 알고 있다.

너의 위로를 기다리는
외로운 그를 위해

그로부터 위로를 기다리는
외로운 나를 위해

"똑똑! 들어가도 되니?"

♠ **속삭임 | 힐러의 메시지**
그의 조심스러움에 유리알 마음이 담겨 있다.
나의 다가감에는 그래서 따뜻함이 필요하다.

제3장 내면의 길

꿈과 좌우명 그리고 사명 선언문의 차이

꿈이란
실현하고 싶은 희망으로
마음속에 간직한 이상이다.

좌우명은
인생을 살아가는 지표이며,
꿈을 향해 걷는데 힘이 되는 명언이다.

사명 선언문이란
대의적인 가치를 드러내는 행위다.
꿈이 자신의 가치 실현이라면,
사명 선언문은 그 꿈의 실현을 통하여
세상에 어떻게 기여할 것인가를 표명함이다.

인간이란 존재는
아는 만큼 보이고
보이는 만큼 알게 된다.

지식이 짧으면 편협한 인간이 되고
언행이 짧으면 이기적이 되며
의식이 좁으면 자기밖에 모른다.

꿈과 좌우명,
사명 선언문을 표명하는 이유는
스스로 의식의 확장성을 장착함으로

더 넓은 세계를 보고
더 많은 사람들과
더 넓은 세상을 살아가기 위함이다.

이러한 삶의 가치 설정은
어떠한 삶의 자세로
인생을 살아갈 것인가에 대한
올바른 정체성을 확립하고
스스로 향기 나는 삶으로 이끌어준다.

♠ 속삭임 | 힐러의 메시지
삶에 대한 확장성은
보이지 않는 세계를 보게 한다

상실의 시대를 붙잡다

어쩌다 13살에 보조 선생님이 되어
최선을 다해 아이들을 가르치고
도시로 떠난 제자를 찾아
돈도 없이 비참한 시간을 보내고,

'시간 낭비라고!' 해도
또다시 뭔가를
시도하는 아이 선생...

'방송국장님이세요?'... 헐

어른들은 안 된다고 내쫓아도
아이를 위해 몇 날 며칠을 기다리는 진심.

진짜 될 수 없을 일을 위해,
사람은 반 미친 척하고 살아봐야 하는구나!
그것이 뭔가를 이뤄내는구나!

그것이 드라마든, 실화이든...
하긴 실화가 더 드라마틱하기에...

무언가를 하기에 주저하고
환경을 탓하고
부족하다고 두려워하는 어른들에게

영화 '책상 서랍 속의 동화'는
하지 못하는 이유만을 찾으려는
이 상실의 시대를 붙잡아준다.

♠ 속삭임 | 힐러의 메시지
조금만 더 걸어와 주겠니?
내가 더 간절히 기다리고 있으니깐

질문(質問)에 대하여

질문이란
알고자 하는 것에 대하여
본질의 개념을 묻는 것이다.

질문을 하면
그에 합당한 답변(答辯)을 해줘야 한다.
이것이 상호 간에 올바른 소통 방식이다.

합리적인 답변을 못하거나
질문이 잘못되었을 때는
갈등을 유발하고
문제를 일으키며
분쟁이 일어나 불통하는 사회가 된다.

사회성이란
바로 이러한 사회 관계적 문제를
사전에 잘 해결하기 위해서
인간관계의 심리를 인지, 습득하여
가장 적절하게 조율하고
적응하는 능력을 말한다.

질문은 존중과 배려의 의도로
내용에는 핵심을 담고
상대가 이해하기 쉬운 방식과
부드러운 말투로 전달해야 한다.

답변은 상대방이 말하는
언어의 사전적 의미보다는
전체적인 맥락과
심리적인 내면의 의도를 읽어
진정성 있게 마음을 담아야 한다.

이렇게 할 때
서로 말꼬리를 잡고 싸우거나
자기 말만 하기 위해
말을 끊거나
말을 자르고 들어오지 않는다.

말을 끊는 것처럼
분노를 유발하는 것은 없다.
이는 소통을 위해
상대방의 말을 경청하기보다는
공격할 말만 기다리기 때문에
상대방의 말은 전혀 인지하지 못하고
갈등만 증폭시킨다.

그러므로 질문을 많이 하면
생각이 깊어지고
생각이 깊어지면
올바른 소통을 할 수 있는 능력이 커진다.

질문을 하는 사람이나
답변을 하는 사람 모두

사고력은 깊어지고
그러한 사고력은 더 나은 것을
추구하는 힘이 생긴다.

더 나은 것을 추구함이란
인간관계의 올바름
원활한 소통력
어려운 문제해결력
갈등이나 고민, 분쟁 조정력
삶의 아름다운 가치관을 말한다.

좋은 부모가 되고
좋은 배우자가 되고
좋은 자녀가 되고
좋은 친구가 되고
좋은 연인이 되고
좋은 인간관계를 해나가는 것은

때와 장소에 맞게
대상과 분위기에 맞게
상대방의 얼굴에 미소가 떠오르는
그런 언어를 구사하는 것이며

대화를 잘 이어가려면
적절하면서 의미 있고
재치 있으며 센스 있는
질문과 답변을 할 줄 아는 것이다.

답변에 앞서 질문을 잘하는 것,
그것도 좋은 질문을 잘하는 것은
평소에 생각을 많이 하거나
적절한 질문지를 만들어 보는 것도 좋다.

소통을 어려워하는 분들을 위해
좋은 질문을 할 수 있는 안내서가
어쩌면 간절히 필요한 시대다.

♠ 속삭임 | 힐러의 메시지
대화를 이어가는 질문이란?
좋은 아빠는 좋은 질문을 할 줄 아는 사람
좋은 사람은 따뜻한 질문을 할 줄 아는 사람

존재감

난 예전에
사람들 가운데 없는 존재였다.
그만큼 존재감이 없었다.

지금은 그렇지 않다.
존재감 있는 세상으로 왔기 때문이다.
오랜 시간 고민과 도전, 배움과 부딪힘
다양한 모임과 만남을 통해 관계를 배웠다.

나눌 줄 알기도 하고
받을 줄 알기도 하고
거절할 줄 알기도 하는
관계에는 그런 주고받는
선순환의 공식이 있다.

존재감은
남들이 만들어 주기도 하지만
스스로 만드는 것이 더 중요하다.

스스로 만들기에 앞서
더 중요한 것은
스스로 존재감 있는 존재임을 아는 것이다.

우울하고
버림받았다고 여기는 사람들은

그래서 더 중요하다.

그들이 우울하고
세상을 떠나고 싶은 이유는
자신이 쓸모없는 존재임을
스스로 각인했기 때문이다.

자신이 쓸모 있음을 알 때
존재감은 스스로 드러난다.
쓸모 있다는 것은 인정받음이다.
인정받음이라는 외적인 것을 통해
내적인 존재감이 채워진다.
쓸모 있음이 존재감이기에

그럼 스스로
쓸모 있음의 존재감은
어떻게 발견할까?

사람들 가운데서 발견한다.
학교나 직장에서 발견하는 사람은
대부분 외향적이고
이미 자신의 재능을 통해 존재감을 드러내고 있다.

첫 번째 가족을 통해 얻는다.
두 번째 좋은 친구를 통해 드러난다.
부모를 통해 이미 존재감을 얻은 사람은
존재감 자체에 대해 고민하지 않는다.
그러므로 친구는 관계를 맺는 좋은 연결 통로다.

좋은 관계로 사귀는 방법을 배운다.

가족에게서 배우지 못하고
계산하지 않고 만날 수 있는
학창 시절 친구 관계를 형성하지 못하면
우울감과 외로움은 극도에 달하여
존재감은 사라진다.
어디에서도 받거나 얻을 수 없다.

좋은 스승이나 멘토를 만나는 것도
하나의 방법이다.
그러나 만나기 쉽지 않다.
그런 사람을 만나는 것은 행운이다.

이때에는 스스로 찾아 나서야 한다.
세상에는 다양한 동아리와 커뮤니티 활동이 있다.
동아리 활동이 없었던 사람일지라도
그나마 자신이 좋아하는 취미,
아니면 최소한 하고픈 활동을 찾는다.

지역 문화센터나 복지관, 청소년수련관,
인터넷에 있는 동아리와 커뮤니티 등
그런 단체나 소모임을 보면
문화예술, 운동, 영화, 푸드, 취미,
여행, 자기 계발, 독서 모임 등 다양하게 있다.

"때론 미친 척하고
딱 20초만 용기를 내 볼 필요도 있어.

진짜 딱 20초만 창피해도 용기를 내는 거야.
그럼, 장담하는데 멋진 일이 생길 거야."
(우리는 동물원을 샀다, 영화 중에서)

아무리 소심하고
위축되어 있을지라도
우울과 자책으로 숨어 있지 마라.
포기하는 것보다는 위의 대사처럼
딱 미친 척하고 한 번 용기를 내보는 것이다.

그때 존재감 없는 세상에서
존재감 있는 세상으로
연결되는 통로를 처음으로
발견할 수 있기 때문이다.

그런 과정을 통해
그 세계를 빠져나왔던 사람으로서
당신이 나오기를 응원한다.

♠ 속삭임 | 힐러의 메시지
거기 경험하지 못한
다른 세계가 기다리고 있다

객관화의 거울

자신은 자신의 장점을
잘 인지하지 못한다.
항상 그렇게 살아왔기 때문에
대부분은 당연한 것으로 안다.

하지만 타인은 금방 알아차린다.
왜냐하면 그는 없는 것을
저 사람은 가지고 있기 때문이다.

하지만 보통 사람들은
'사촌이 땅을 사면 배가 아프다'는 말처럼
시기와 질투, 자존심 때문에 잘 알려주지 않는다.

그런 말을 해주는 사람은
그런 자아의 이기적 감정을 초월한 사람이다.
그가 어떤 사람이든지 말이다.
그는 친구로, 동료로, 연인으로
또는 스승이나 부모로 나타날 수 있다.

그런 말을 해주는 사람을
인생에서 만나는 것은 축복이다.

누군가 당신에게
그런 자신만의 장점을 말해준다면
진심으로 감사하라.

당신은 새로운 당신과 만났으며
훌륭한 선물을 받은 것이다.

당신은 행복해질 수 있는 문턱에 들어섰다.
그것이 재능이면 좋은 직업을 가질 것이고,
그것이 성품이면 당신은 훌륭한 품격을 소유한 것이다.

그리고 그것을 더 아름답게
꽃 피우기 위해 노력하라.
그 향기는 많은 이에게
선물과 같은 삶으로 당신을 빛나게 할 것이기에

♠ 속삭임 | 힐러의 메시지
자기를 사랑하는 것이 자기를 아는 것이다
또한 자기를 아는 것은 자기를 사랑하는 것이다
자기를 아는 것은 자기 신뢰를 쌓는 것이며
그 신뢰가 깊어질수록 이타애는 향기를 발한다

구도미 構圖美

그림이나 사진에서 구도는
시작이자 전부이다
이는 영상이나 글도 같다

사물이나 대상이 얽힌 짜임새를
어떻게 배치하느냐에 따라
그것을 통해 표현하고,
전달하고자 하는 것은 달라진다

삼분할법이나 삼각구도
수평적 구도와 안정감은
피사체를 담아내고 전달하는데
기본이며 핵심이다

인물을 전달하려는데
뒤의 배경을 확대한다든지
길거리의 붕어빵을 전달하려는데
굽는 작업에 포커스를 맞춘다면
전달의 의미가 상쇄되거나 왜곡된다

구도미가
예쁘게 균형 잡힌 것처럼
아름다운 것은 없다
우리의 대화가 그렇다

내가 원하는 것은 A인데
B를 말한다면
상대는 당연히 B만 듣는다

무엇을 갖고 싶은데
그것이 비싸거나
자신이 속물처럼 느껴질까 봐
돌려서 말하는 관계가 있다

반대로
직설적이거나 이기적인 사람들은
자신이 가지고 싶은 것을
상대에게 선물하는 사람도 있다

이는 선물을 받고 싶은
연인이나 부부,
부모와 자녀,
친구 관계에서 많이 일어난다

어떤 부부는
아내의 결혼기념일에
남편이 갖고 싶었던 오토바이를 선물했다
그랬더니 아내는
남편의 생일 선물로 피아노를 사줬다
모두 자신이 갖고 싶었던 것을 구매한 것이다

물론 평소에
사이가 좋지 않았기 때문이지만

이와 비슷한 사례들이
가깝다고 여기는 관계에서 많이 일어난다
자기 방식대로 살아가는 습관적 확증편향으로
거부감 없이 선택하기 때문이다

서로의 관계를
행복의 탑으로 쌓아가야 할 시간에
작은 여우가 굴을 파도록 허락함으로
무너뜨리고 있는 것이다

시간이 지나면 공허가 몰려온다
왜 그렇게 살아야 하는지 모르겠다며
한탄하는 자신을 발견한다
작은 무너뜨림은 사소하지만 쌓이며
불행은 불현듯 삶을 무너뜨린다

구도를 보고 진정한 의미를 읽어내듯
관계에서도 서로의 마음을 읽고
서로가 서로의 행복을 채운다면
삶은 매 순간 미소로 가득 찰 것이다

캔버스에 예쁜 그림을 그리듯
자신의 삶이라는 캔버스에
대화에서 향기가 나도록
사소하지만 균형 잡힌 언어를 선물하라

멀리 바라보고
자신만의 예쁜 구도의 프레임을 담아서

♠ 속삭임 | 힐러의 메시지

짜임새 있게 핵심을 전달하라

너는 가끔 뒤를 돌아봐

모퉁이를 돌 때면
너는 뒤를 돌아봤어

네가 가진 신념이
너를 붙들기를
그렇게 하도록 했지

누가 알려주지 않았는데
누가 보지도 않는데도
너는 너를 지키려는 향기가
너를 감싸 안았지

수풀 속을 헤치고
가시덤불을 지나
거친 언덕길을 오르며
어두컴컴한 터널을 지날 때도

정직이 너를 지키고
용기가 너를 이끌며
배려가 너를 감싸고
감사함이 너를 휘감았어

너는 길을 몰라도 너를 신뢰했고
너는 울면서도 길을 걸었지
아프면 아픈 대로

상처를 받으면 받는 대로
묵묵히 네가 해야 한다는 사명감으로
네 철학을 세웠어

그것이 너의 존재의 의미였기에

나, 너의 고독을 보며
위로했으며
나, 너의 아픔을 보고
함께 하였어

네가 가는 길이 너무 예쁘고
너의 향기가 나를 사로잡아서
길목을 돌아 너를 붙잡았지

네가 돌아보던 그 모퉁이마다
너는 나를 알아보지 못하였지만
그 느낌을 주시하며
나를 쳐다봤지

언제나 너와 함께 하겠어
너의 영혼이
나를 붙들어 매기에

♠ 속삭임 | 힐러의 메시지
네 신념이 옳다는 증명이야

널 부르는 소리

넌 찾는다
어떻게 살아야 하는지
무엇을 하여야 행복한지

넌 그리고 서쪽으로 갔다
난 기다린다
오지 않는 너를 동쪽에서

우린 어려서부터 길이 엇갈렸다
너는 울고
나는 부르고

후회하고 다시 하고
후회하고 또다시 하기를
전생에서부터 멈추지 않는다

너는 잊지 않기 위해 노력한다
담벼락에 기록하고
파피루스에 기록하고
마지막 잊을 수 없는 곳에 기록했다
그리고 네 안에 가지고 태어났다

난 이야기를 들었다
훔치지 말라 했으며
미워하지 말라 했으며
자기를 속이지 말라고

PC방에 너무 가고 싶었던 아이는

무의식 중에 돈이 가득 들어 있던
아빠의 지갑에서 만 원을 훔쳤다

게임할 때는 모른다
끝나고 돌아서면
죄책감과 자괴감이 몰려온다
서쪽에 서 있는 자신을 본다

우리의 일상에서 매일 일어난다
동쪽으로 가고자 했으나
서쪽에 서 있는 자신을

그리곤 운다
그렇게 쌓인 부정적 감정으로 인해
동쪽으로 가지 못하는 자신을 변명하며
어떻게 살아야 행복한지
어떻게 살아야 올바른지를
그것은 자기 위안이요 합리화다

서쪽에는 아예 없다
네가 동쪽에
그 길이 있다는 사실을 발견하기 전까지는

있음은 없음으로 만들어지지 않으며
없음은 본래부터 있지 않았음을
네가 알 때
방황은 멈춘다

♠ 속삭임 | 힐러의 메시지
사랑은 항상 그 자리에서 너를 부른다

진실(眞實)

진실이란 올바른 결과
또는 그것을 지향하는 것이며,
그 열매를 위해
올바른 과정을 심어야 한다.

착함과 진실은 다르다.
진실은 올바름을 위해
착하지 않을 경우도 있다.
(착함은 많은 경우 자기 위로에 빠진다)

그가 올바른 삶을 선택하도록
그가 진실로 행복을 선택하도록
비록 아프지만 해야만 하는 것을 준다.

다만 거기에는,
'다 너를 위해 하는 거야!'라며
자기의 이기적 욕망을 실현키 위해
강요 아닌 강요를 하는 것은 제외다.

이는 타인을 향한 자세다.

자신을 향한 진실은
먼저 마음을 보는 거울이 필요하다.

훌륭한 삶을 사는 사람들이 많다.
겉으로는

이는 타인에게 외적 도움만 가능하다.

타인의 내면을 변화시킬 수 없으며,
스스로는 가면을 쓴 위선자의 삶을 산다.
겉으로는 웃지만, 속으로는 공허한
빈껍데기와 같은 삶이라는 것을 본인은 안다.

그들은 길이 없다고 한다.
남들은 자기보다 더 악하다고 말하면서
그리고 진실한 사람을 보면
그들 또한 자신과 같을 거라고 착각한다.

자기 이상의 사람을
경험으로 경험하지 않은 세계이기에
그는 알 수도 없고, 볼 수도 없다.
그래서 마음의 거울이 필요하다.

마음의 거울은 누구나 있으나
대부분 혼탁해져 있다.
물질화된 경쟁과 자본주의 세상에서
내면보다는 외적 화려함이 중요하기에
미디어의 강요에 물들어버렸다.

마음의 거울은 그때
아니라고 말해주는 내면의 센서다.

우리는 무언가를 욕망한다.
욕망 자체가 나쁜 것은 아니다.
그것은 꿈을 실현시키는 동력이기에

다만 그 욕망이 물질적이든 정신적이든
타인에게 피해를 입히는 것이라면 그것은 아니다.

마음의 거울은 그때 신호를 준다.
마음의 찜찜함과 아니라는 느낌이
바로 잘못된 선택이라는 신호다.

당신의 선택이 올바를 때
마음은 긍정적 신호를 보내준다.
평안함과 흐뭇함,
그리고 선택을 잘했다는 느낌이다.

이러한 과정을 반복하는 것은
혼탁한 마음의 거울을
맑고 투명하게 그리고 순수하도록 닦아준다.

이것이 자기를 향한 진실의 자세다.

이 거울이 아름답게 빛을 비추면
당신의 주변을 사랑으로 비춘다.
당신의 향기와 함께
당신을 휘감고 있는 주변이
향기로 가득 찰 것이다.

그때 진실은 우뚝 서서
당신의 삶이 진리라고 말해준다.

흐뭇한 미소와 함께

♠ 속삭임 | 힐러의 메시지

진실은 사람 향기다

스스로에게 약속하는 사람

나에게 약속했어
올바르게 살아가기로
내가 알고 있는 범위 안에서

그렇다고
거기 멈춰있지는 않을 거야
그 순간 구시대의 유물이 되니깐

보고
듣고
숙고하고
배우면서

반추하고
성장하고
성찰하고
내일의 공간으로 확장하면서

우리는 많은 약속을 해
지켜지지 않는 약속을
그래서 신뢰를 잃지

그토록 애써 쌓았던
친구를
연인을
자녀를
부모를
배우자를 잃어

만들어 가도 부족한 신뢰를
너무 많이 무너뜨려
그래서 이제 약속하지 않을 거야

스스로에게만 할 거야
자기 자신에게 하는 약속
작은 것 하나부터 시작해

자기에게 약속을 지키는 사람
그것을 이루어갈 때
그는 강한 자가 돼

지켜봤거든
누가 알아주지 않아도
어떤 보상이 따르지 않아도
그는 자신과의 약속을 지켰거든
타인을 향한 약속을

말없이
드러내지 않고도
자신과의 약속을 지켜내는 사람
그것도 타인을 향한 신뢰를 위해

그것처럼 강한 자는 없다

♠ 속삭임 | 힐러의 메시지
알고 보면 타인을 향한 신뢰는
자기를 진심으로 믿을 때 가능해

세계관 밖의 세계관

쓰레기는 자신이 쓰레기인 줄 모른다.
쓰레기에서 빠져나올 때
자신이 쓰레기 더미 속에 있었던 걸 인지한다.

착한 사람 또한 똑같다.
그는 이미 그러함을 항상 가지고 있었다.
그 이외의 상황이란 그에겐 없던 경우의 수다.

이는 재능이나 특기, 개성이나 인성 또한 같다.
항상 있음은 없음과 같다.
그것이 당연할 줄 알기 때문이다.

우리가 타인을 부러워하고
다른 사람이 가진 떡이 더 커 보이는 현상이나
내가 갖지 않은 것을 갖고 싶어 하는 성향이
바로 그것을 증명한다.
타인 또한 그가 갖지 않은
나의 것을 부러워하고 있기 때문이다.

우리는 보통
어떤 무리 안에 들어가면
그 프레임에 갇힌다.
프레임과 반대되는 것을
비교 분석하는 눈이 열릴 때
다른 것도 있음을 각성하고 깨닫게 된다.

구분이 있어야 다름을 아는데,
구분이 없는 우물 안에서는
다른 것이 보이지 않기 때문이다.

스스로 찾아내기는 어렵다.
물론 불가능하지는 않다.
그렇기 때문에
타인을 통한 경청이 중요한 이유다.

조언이나 코칭
상담이나 자기 계발은
그것을 빨리 발견하는 도구들이다.

외모를 인식하기 위해 거울을 보듯
내면을 인지하기 위해 심리 분석이 필요하다.
그래서 자기 객관화가 중요한 이유다.

타인은 그것을 자신과 다르기에
한눈에 파악하므로 조언해 주기 쉽다.
하지만 인간은 교만하고
타인보다 못한 모습을 듣기 싫어하거나
시기 질투로 인하여 그런 조언을 듣기 싫어한다.
그러므로 자기 세계, 자기 합리화의 프레임에 갇힌다.

인간의 자아는
타인의 말을 거부하는 저항이 강하기에
부모의 조언이 중요한 이유다.

어려서부터 부모님의 지혜로운 조언으로 익숙해지면
타인의 올바른 조언을 받아들이기 쉬워진다.

스스로 발견하지 못하는 장단점,
장점을 모르므로 특화시키기 어렵고,
단점을 모르므로 변화된 삶을 살기 어렵다.
그러므로 지혜로운 자의 코칭이 중요하다.

일반인의 조언은
질책이나 강요, 압박으로 하지만
멘토나 코치, 좋은 스승의 조언은
따뜻하게 손을 내밀어주기 때문이다.
영화 굿 윌 헌팅의 맷 데이먼과 로빈 윌리엄스는
관계 코칭의 정석이며 바이블이다.

다른 사람의 말을 잘 경청하는 사람은
평범한 사람보다 훨씬 빠른 성장을 하는 이유다.
그것이 지식이든
직업적 스킬이든
인간관계든
또는 인격적 성숙이든
그는 인생의 순간적 도약을 하게 된다.

기존의 갇힌 프레임에서 벗어나
또 다른 세계관을 만나는 것이다.
더 높고
더 넓고
더 위대한 가치관을 보게 된다.

삶의 위대한 철학이나 사상은
결국 하나로 만난다.
자아의 이기적 관념으로는
성숙한 공동체를 이루는 것 자체가 불가능하다.
의식의 고차원으로 승화된 공동체는
우리가 하나라는 관념이다.

이러한 세계관이
지식이 아닌 경험에서 의식화될 때
타인을 해롭게 할 수 없는
정체성과 세계관을 완성한다.

우리는 하나에서 나와
만유가 되었으며
다시 하나로 만나는 길목에 서 있다.

하나 된 우리만이
너와 나, 우리가
외로움과 소외감을 극복하고
하나 된 편안함 속에서
진정한 사랑과 행복을 누릴 수 있기 때문이다.

♠ **속삭임 | 힐러의 메시지**

항상 있음은 없음과 같다.
익숙함으로 인식하는 눈이 없기 때문이다.

제4장 삶과 휴식 그리고 취미

하얀 종이에 점 하나 | 인간으로 태어나 해야 할 일은 무엇인가? | 교양이 밥 먹여 주냐? | 하찮음과 영원함 그리고 지루함과 기억상실 | 달려간다 어디로? | 아지트 agitpunkt | 세상을 살아가는 지혜 | 책쓰기 동아리 | 글쓰기는 자식을 낳는 것이다 | 힘들면 쉬었다 가세

하얀 종이에 점 하나

오늘이라는
하얀 종이 위에
점 하나를 찍는다.

• 은 삶이다.

빛이 어둠을 뚫고 탄생하듯
내 생의 일기를
오늘이라는 길 위에 쓴다.

너도 모르고
나도 잊을 수 있지만
그날에 새겨진
빛과 어둠의 일기는 우리의 일기다.

하나의 점에서 태어난 빅뱅은
먼 훗날
다시 하나의 점으로 모일 것이다.

그때 너와 내가 살아내었던
그 일기는
되감기는 테잎처럼 상영될 거다.

거대 우주의 상영관에 걸린
나의 일기가
너를 향해 부끄럽지 않기를

마냥 착할 수는 없어도
어둡이지 않기를

드라마 작가에게 부탁한다.
예쁘게 써 주기를

♠ **속삭임 | 힐러의 메시지**
우리는 지금이라는 인생의
하얀 도화지에 점 하나를 찍는 작가다.

인간으로 태어나 해야 할 일은 무엇인가?

인간으로 태어남은
삶, 곧 살아가기 위해 존재함을
제1목적으로 한다.

살아간다는 것은 길 위의 여정이다.
곧, 자신이 해야 할 일을 하는 것이다.
그럼 해야 할 일은 무엇일까?

첫째 먹고 마시는 일차원적 삶이다.
이는 어려서 인지의 한계에 갇혀 있음이다.

둘째 알기 위해 배움이다.
이는 먹고사는 문제를 해결하기 위함이다.

셋째 직업을 위해 성실히 일함이다.
이는 생계를 위해 돈을 벌기 위함이요
그 대가를 지불하는 고용주에게 충성의 증표다.

넷째 자신의 행복을 위해 취미를 가짐이다.
직업은 타의로 인해 스트레스가 쌓이지만
취미는 자의로 하기에 즐거움을 준다.

다섯째 두 번째 배움이다.
첫 번째는 직업을 위함 배움이요
두 번째는 자신과 가족의 행복을 위한 배움이다.

직업을 위해 10~20년의 시간을 투자한다.
그런데 행복한 가정을 살아가기 위한
삶의 경영에는 전혀 투자하지 않는다.
기업을 경영하려면 경영 수업을 받듯이
인생을 경영하려면 반드시 인생 수업이 필요하다.

인생 수업이란 인문학적 교양이다.
부부가 어떻게 할 때 행복하고
자녀를 어떻게 올바로 양육하며
부모로서 역할은 무엇인지
이웃과 더불어 조화로운 삶은 무엇인지 배워야 한다.

삶에 즐거움이 있고
생계를 위한 직업이 있고
가족을 위해 행복 경영을 배웠다면
이제 마지막으로 세상을 향한 성숙함이 필요하다.

인간은 자기 자신만
먹고살기 위해 온 존재가 아니다.
자신이 삶의 올바른 단계로 진입한 사람은
이제 자아실현을 위한 인격적 성숙함을 갖춰야 한다.

인생의 제2목적은
세상을 향하여 따뜻함을 나누는
이타애를 구현하는 데 있다.

이 세상은 차가움과 따뜻함이 공존한다.
그곳에서 자신이 살아온 차가웠던 날들을 기억하여
다른 이들이 그와 같은 아픔에 머물러 있지 않도록

자신의 경험을 통하여 세상에 녹아내는 것이다.
진정 어른으로서 손을 잡을 줄 아는 사랑과
나눔을 이어가도록 인류의 유산으로 이어간다.

세상은 이로써 더 나은 곳으로 나아가며
인간은 이곳에 온 목적을 이루고 간다.
떠나는 이와 남겨진 이, 모두에게
축복된 삶으로 영원히 기억된다.

♠ 속삭임 | 힐러의 메시지
너 자신을 사랑하라
그것이 네 이웃을 사랑하는 지름길이다

교양이 밥 먹여 주냐?

무엇을 안다는
언어적, 지식적 개념의 확장성은
그것이 인지의 영역으로 명확히 들어올 때
소름 돋는 경험을 한다.

철학 강의를 듣던 애청자 왈,
"평생 지식과 담쌓고 살다가,
철학 강의로 인해 책 읽기를 시작한 지 2년 후
나 자신에 대해 대견함을 느꼈다.
처음 몇 달은 리얼 죽을 뻔했지만..."

무에서 유를 인지하기 위해선
단어 하나 안다고 되는 개념이 아니다.
그 언어를 사용하게 된 근원적 배경과
이면적이거나 부차적인 것까지 습득하는 과정,
즉 나무에서 숲을 보고
다시 숲에서 나무를 알아차릴 때 열린다.

앎과 지성인
교양 있는 사람
어떤 분야의 전문가가 되는 것은
남들은 몰라서 헤매고
평생을 고통으로 살아가야 하지만
그 분야를 습득하게 되면
삶의 차원이 달라지는 사람들이다.

각 분야의 전문 용어가
이해의 영역으로 들어온다는 것은
의식을 짜릿하게 하는 효과가 있다.
이것이 사람을 더 나은 방향으로
성장하려는 욕구를 유발한다.
그래서 인간은 앞으로 나아간다.
자기 효능감은 이때 폭발한다.

위의 사례처럼
어떤 새로운 것을 받아들이는 과정은
머리에 쥐가 날 정도로 고통스럽고 힘들다.
하지만 그것을 통과하였을 때
한 번도 생각해 보지 않은 다른 세계를 경험한다.
그러나 그것을 통과하지 않으면
평생 그것과 상관없는 삶으로 살아간다.

이것은 무서운 일이다.
위를 아래라고 생각하거나
검은 것을 희다고 생각할 수 있다.
심지어 틀림을 옳다고 우기거나
잘못을 해놓고도 인정하는 않는 오류를 범한다.

친구 간에 오해가 생기고
연인 간의 다툼이나
부부간에 수많은 갈등들
그리고 부모와 자식 간에 불통하는 문제들이
결국은 각자 가지고 있는 지식의 차이다.

자신이 알고 있는 부분이 옳다고 여기기에

단순한 생각의 차이를 넘어
고집을 부리고 꾸역꾸역 우기게 되면서
갈등과 고민, 불협과 싸움이 난무하고
심지어 폭언과 폭력까지 동반한다.

지적 성숙,
곧 교양이 밥 먹여주냐고 하지만
그것보다 더 중요한 일을 한다.
사람들과 아름다운 관계를 만들어낸다는 것은
그만큼 지적 성숙함을 인격으로 쌓았다는 의미다.

가족 간에 행복함을 만들어내고
친구 간에 아름다운 우정을 쌓고
연인 간에 아름다운 사랑을 하고
이웃과 더불어 상생하는 삶을 만들 수 있는 것은
지적 성숙함으로 삶의 철학을 정립했다는 의미다.

이러한 교양을 쌓는 일을
누가 하느냐가 중요하다.
부모가 쌓으면 그 가정이 행복하고
부부가 쌓으면 부부의 삶이 즐겁다.
그 가족의 인생이 달라진다.

자녀가 불행하고
가족이 지옥이고
친구 사귀기를 어려워하며
사회성이 부족해서 인간관계가 어렵고
적응을 잘하지 못하는 것은
부모가 배워야 할 것을 배우지 못한 경우다.

자녀라도 의식이 있다면
미래의 더 나은 인간관계를 위해
스스로 습득하는 노력을 기울여야 한다.
그것이 늦었을지라도
밥을 먹고사는 것보다 중요한 일이다.

♠ 속삭임 | 힐러의 메시지
인생을 행복하게 만들어준다

하찮음과 영원함 그리고 지루함과 기억상실

거대한 존재가 극소의 세계로 왔다.

여기 이곳 작디작은 마을에
살짝만 누르면 죽을
개미와 같은 육체로
하루살이 인생을 살고 있다

수많은 억울한 일,
배신과 사기가 판을 치고
가난과 질병으로 쓰러지는
어둠과 좌절만이 가득한 곳

손가락으로 하늘을 향해
신을 원망하고
태어난 것을 저주하며 살아간다.

"어찌 태어나 이리 고통하는고..."

최고의 신분이었던 자로서
한낱 미물과 같은 무지에 갇혀 신음한다.
하찮음이다.

모든 것을 가졌고
모든 것을 할 수 있으며
어디든 갈 수 있고
영원한 시간을 지배하였던 그였다.

모든 것이 가능하면서
영원한 시간을 살 때
삶은 재미가 없고 따분하며
심심하다 못해 무료해진다는 것을 안다.

어느 순간
영원이라는 단어는
지루하다는 단어와 일맥상통해 버린다.
이것이 영원함이 주는 고통이다.

그러한 단조로움에 재미를 더하려면
거기엔 모험과 스릴,
변화와 두려움이 가미되어야 한다.

아픔이나 죽음, 무서움과 같은 공포는
사람을 위축하고 어둠에 가두지만
그것을 극복하고 우뚝 고지 위에 설 때
그 찬란함은 그곳에 이른 자만 알 수 있다.

스스로에 대한 자부심
도전에 대한 성취감
할 수 있다는 우주적 원리를 깨달은 후
두려움과 공포는 오히려
스스로에 대한 성취감을 배가시킨다.

우리는 바로 그것을
영원이라는 거대함 속에서 스스로 인지한 후
더 거대한 우주적 스펙터클을 즐기려

이곳 지구에 연극 무대를 설치하였다.

그리고 그 연극을
실화처럼 느끼기 위해서
기억상실을 선택하였다.

우리가 영화를 보는 관객이라면
주인공이 경험하는 두려움이나 고통은
스토리를 재미있게 하는 연출일 뿐이다.

이와 같이 우리가 누구인지
그 사실을 인지하고 물질계를 경험한다면
스릴이나 두려움은 각본일 뿐이기에
실화와 같은 진정한 체험을 느낄 수 없다.

우리가 기억상실을 선택한 이유는
육체적 감각으로 느끼는 직접적 체험을
뼛속에 새겨 인류적 유산으로 기억하고
또 다른 존재들에게 전달하기 위함이다.

그들이 기억하는 문자적 진리
곧, 사랑과 행복은
그들에겐 결코 인지할 수 없는
드라마 속 연출일 뿐이기 때문이다.

자아의 감옥에서 이 기억을 회복할 때
인류는 한 차원 높은
다음 문명으로 진화할 것이다.

♠ 속삭임 | 힐러의 메시지

문명의 진화를 선택하는 사람들

달려간다 어디로?

인간으로 태어나면
어디로든 달려간다

그것이 무엇이든
분류된다
그리고 규정된다

소분류는
직업의 다양성으로
꿈의 다양성으로
삶의 다양성으로

중분류는
부유함을 좇을 것이냐
권력을 좇을 것이냐
명예를 좇을 것이냐
지식을 좇을 것이냐
행복을 좇을 것이냐로

대분류에 이르면
행복을 좇을 것이냐 불행을 좇을 것이냐
긍정을 좇을 것이냐 부정을 좇을 것이냐
의미를 좇을 것이냐 무의미를 좇을 것이냐로

소분류는 자아다
중분류는 인문학이다

대분류는 참나다

자아는 내가 옳고 네가 그르다다
인문학은 프레임이다
참나는 지금 여기다

멈추면
지금 여기에 있지만
달리는 인간에겐
멈추면 죽는다

죽으면 지금 여기뿐인데

♠ 속삭임 | 힐러의 메시지
지금 여기는 어딘가?

아지트 agitpunkt

원래 아지트는 러시아어로
비밀 조직원의 은신처였으나
지금은 좋아하는 사람들이
자주 모이는 장소로 바뀌었다.

2차 대전 당시 프랑스의 레지스탕스 은신처
대한제국 독립운동가들의 은신처나 상해 임시정부
독재 시대 민주투사들의 피난처들
이런 곳들이 본래 아지트 개념이 아니었나 한다.

잘못을 저질렀지만 억울한 사람을 구제했던
구약 이스라엘 소도의 도피성이나
조선 시대 억울한 백성을 구제했던 신문고
대한민국의 억울함을 구제하는 국민청원제도는
살아남기 위한 도피처와 구제를
국가적으로 확장된 버전이 아닌가 한다.
아지트의 개념이 살아남기 위한 은신처였으니...

선비들이 풍류를 즐겼던 정자(亭子)
농사일을 품앗이했던 두레 농촌 지역 공동체
나그네나 동네 사람들이 휴식하고 힐링했던 사랑방
동네 노인들의 여가 전용 공간 노인정
옛날에도 즐겼고 지금도 여흥을 즐기는 팔각정
이들 또한 아지트의 두 번째 개념 같다.

어쩌면 자기들만의 도피처이자

심신을 힐링하는 곳일 수 있다.
피로와 스트레스에 지친 현대인들에게
맛집 찾아 떠나는 여행이나
분위기 있는 카페는 아지트일 수 있다.
예전 7080 음악다방처럼 말이다.

카페의 개념이 커피를 마시는 것보다
대화와 소통의 장소로 여기는 것처럼
어쩌면 지금을 살아가는 우리들은
우리 조상들의 아랫목 같은 사랑방의
따뜻했던 정(情)이 그리운지 모른다.

낭만이 사라진 각박한 시대에
이번 주말에는 사랑하는 사람과
분위기 있는 우리들만의 아지트를 찾아
정을 나누며 그리움의 회포를 풀어보면 어떨까?

♠ 속삭임 | 힐러의 메시지
사랑과 행복은 아지트에서 꽃핀다

세상을 살아가는 지혜

세상을 살아가면서 느끼는
불안이나 두려움도
삶을 예쁘게 살아나가는 하나의 과정이다

두려움과 함께 동행하면서
지나가는 시간이 필요하다.
두려움이 오는 것은 신호다.
변해야 된다는 신호

잘못된 선택을 할까 봐 두려워하지 마라
선택을 안 하는 것보다
그 잘못된 선택을 하는 것이 훨씬 낫다
그래야 결과를 통해 배우고
무엇이 올바른 선택인지 인지하는 과정을 통해
더 나은 미래로 나아간다

이 세상이 너무 힘들게 느껴진다면
게임에 너무 몰입되어 있는 것이다
이 세상은 가상현실이기 때문에 게임하듯 살아라
이 세상을 너무 진지하거나 다큐로 살지 마라

가상인데 왜 현실처럼 느끼는가?
그래야 가상이지만 진지하게 체험하기 때문이다
이 세상은 체험하기 위해 왔다

절대계는

그것이 그것인지
그것이 그것이 아닌지
비교할 대상이 없기 때문에
인지할 수 없다

이 세상은 상대계다
비교를 할 수 있기 때문에
체험적으로
어떤 것이 좋은 것이고
어떤 것이 나쁜 것인지 인지할 수 있다

나쁜 것이 있어야
좋은 것도 알게 된다

그래서 너무 아등바등 살 필요 없다
너무 아등바등 살면
가상의 세계에서 꿈을 깨면
너무 어이없고 허망하다

게임하듯 이 세상에서 레벨을 올리려면
어떻게 해야 하는가?
그건 남을 도와주면 된다
남을 도와주려는 의도 자체가 높은 레벨에 있다

우리는 모두 하나이고
우리가 모두 사랑이기에
힘을 빼고 대충 살아라

대충 살라는 것은

무가치하게 살라는 것이 아니라
집착과 불안을 내려놓고
가치 있는 삶을 추구하라는 의미다

그때 삶의 진정한 레벨은
한 단계 높은 곳으로 올라갈 것이다

♠ 속삭임 | 힐러의 메시지
뱀처럼 상대계에 적응하는 법을 배우고
비둘기처럼 절대계의 진실을 실천하라

책쓰기 동아리

난 너희가 무관심한 줄 알았어.
첫날 하루 관심을 가졌나

그 후론 1학기를 지나
1년 내내
넌 학교에서 화장만 했지
또 스마트폰만 만지작거리고

진짜 난 무진 노력을 했어.
재밌게도 하려고 했고
맛있는 것도 사 가고
책도 선물하고
칭찬도 하면서

하지만 너희는 한결같았어.
오로지 화장하는 시간이었어.
2시간 수업 내내

난 자괴감까지 들었어.
결국 내가 해줄 수 있는 게 없다는
친구와 술 한 잔을 마시며
난 나 자신을 위로했지.

그리고 어제 마지막 수업 날
너는 내게 과자를 내밀며
"선생님! 과자 드세요!" 하며

"선생님! 염색하셨어요?"라고 질문했지.

뭐지?
이제 와서 관심이지?
수업을 듣긴 들은 거야?
그동안 퉁명스럽고
뾰로통하기만 했던 너희가

난 과자 하나를 먹으며
흐뭇한 미소를 지었고
"응" 하고 대답했지.
마음속 깊이 감동하면서

그리고 너의 마지막 수업 소감을 읽었어.
글쓰기가 어려웠는데
이 동아리를 통하여
자신을 표현하고 만나는 소중한 시간이었다고

세상에나
겉으로 드러난 것이 전부가 아님을 또 배웠어.
어쩌면 나를 그렇게 깜박 속일 수 있니?
떡볶이를 맛있게 먹는 모습을 보며
끝나고 나오면서 담당 선생님과 대화했어.

그저 형식적으로 너희가 2학년이니
출판기념회에 사회를 맡아줄 수 있느냐고?
너희는 허락했지.
내 마음속으로는 거절이라고 생각하며
이미 다른 아이를 생각하고 있었는데

진짜 기절하는 줄 알았어.
뒤통수를 세게 한 대 맞은 느낌이야!
"선생님! 아이들이 한데요. 놀랐어요."
"그래요. 놀랍네요. 진짜 속단은 금물이네요."
우리는 서로를 놀랬어.

그렇게까지 자괴감이 들었었는데
단 한 번에 전부 보상받는 느낌이야.

하아~이럴 수가!
너희를 통해 또다시 하나 배웠어.
앞으로 더 잘할게.

진실함이 얼마나 중요한지
한결같음이 얼마나 중요한지
그리고 사랑은 얼마나 목말라하는지

♠ 속삭임 | 힐러의 메시지
누군가 지켜보고 있다
그리고 사랑은 시간을 필요로 한다

글쓰기는 자식을 낳는 것이다

의미 있는 글이란
마치 자식을 낳는 것과 같다

마음을 가득 담아
영혼의 깊은 호흡을 끌어올려
자신의 분신과 같은 의미를
존재의 형태로 현현한다

긴 산고의 고통을 통해
자신의 분신이 탄생하듯
글은 인고의 시간을 요하며
엄청난 정신적 노동이 필요하다

이성적 디테일한 통찰력과
감성적 맛깔스런 양념의 버무림으로
글은 인생의 춤추는 향연을
보이는 문자라는 악기를 통해
너와 내가 공감하도록 연주한다

메모나 일기처럼 서술한다면
기록이 될지언정 감동은 없다

감동이 있으려면
거기에는 반드시 아픔이 있고
눈물과 고통, 이별과 희생이라는
고난과 역경의 서사가 필요하다

글은 삶의 대변자다
삶이 있기에 글이 있다
글의 감동은 삶의 고난을 요구한다

어찌 보면 삶과 행복은
아픔의 서사다
그것이 있기에 저것이 있다

그렇다면 아픔을
찬양하지 않을 수 있지 않은가
찬양하지는 않을지라도
그것이 올 때에 불평, 불만하지 않고
숙연히 받아들일 수 있을 것이다

왜냐하면 다음 카드가 무엇인지 알기에

♠ 속삭임 | 힐러의 메시지
산고 후 어떤 행복이 있음을 알기에

힘들면 쉬었다 가세

힘들면 쉬었다 가세
예 아니면 어떠하리

빨리 간들 십리요
늦은들 오리일세

살다 보면
뜻대로 안 되는 일
수두룩하니
그래도 살아나가야 하지 않겠는가

가끔은 즐기면서
내려놓기도 하면서
부탁도 하고, 의지도 하면서
우리 함께 살아가보세

자존심도 필요하지만
또 가끔은
그 자존심도 내려놓고
살아갈 수 있기를

부족한 인간 군상들이
살아가는 세상 아닌가?

나보다 잘난 사람들
수두룩 빽빽한 세상에서

나보다 부족한 사람도
수두룩 빽빽인 세상이기에

한 세상 멋지게 살다 가보세

♠ 속삭임 | 힐러의 메시지
네가 행복할 때 나도 행복하니깐
떠나버린 사람의 이야기를 듣고서

제5장 운명과 역행자

180도 역행자의 삶

가끔 우리는
미친 척할 필요가 있다.

왜냐하면 그 기회는
평생 단 한 번도 경험해 보지 못하는
삶을 살아볼 기회를 얻기 때문이다.

말과 행동을 하기 전
마지막 선택의 순간에
한 가지만 생각해 보라!

야! 누구누구야!
네가 지금 무엇 때문에
이것을 선택하려는 거야?

두려움 때문에 주저한다면
어차피 한 번 해야 한다면 부딪치자!
돈 때문에 아깝다면
한 번 나 자신을 위해 투자하자!
죽을 것처럼 힘들다면
평생에 다시 오지 않을 기회를 잡아보자!
누군가 나를 필요로 한다면
한 번은 그를 위해 진심으로 도와주자!

사랑하는 사람과 의견이 대립된다면
그것도 첨예하게 부딪치기 일보 직전이라면

폭발하려는 분노와 짜증을 순간 STOP하고
미친 척하고 상대를 위해 한 번 양보해 보자!

가끔은 말이다.
아주 가끔은 이런 미친 척하는 손해가
더 큰 이익을 안겨주고
더 큰 행복을 안겨주고
내가 모르는 세계를
만나게 해줄 수 있는지 누가 아는가?

예전에 동업 아닌 동업을 하면서
월급의 1/3을 1년 가까이 지원했는데
말 한마디 없이 입을 닦아버린 사건도 있었고

프로그램 개발을 부탁하고
비용을 지출하였는데
카피본만 받고
원본은 받지 못해 꼭 필요한 부분에서는
활용할 수 없었던 사례도 있었다.

그 당시는 너무 야속했지만
또 다른 부분에서 도움을 받은 경우를 보면서
삶이라는 아이러니는 어떤 하나로서만
결정되는 것은 아닌 것을 배웠다.

물론 근본이 잘못되고
사악하고
인간을 무시하며
자신의 이기적 이용만을 위해

타인을 짓밟고 살아가는 인간까지
받아들일 수는 없을 것이다.

하지만 가끔은
또 다른 삶의 모습을 경험키 위해
도전해 보는 자세는
어쩌면 위대하다고 말할 수 있다.

왜냐하면 누구나 쉽게
선택할 수 없는 길이지만
또 다른 사람들에게는
엄청난 기회를 얻는 순간이 되기 때문이다.

그것이 부의 성공이든
인간적 관계의 성공이든
삶의 진정한 행복이든
더 나은 세상을 위해서든
그것은 위대한 역사를 만드는 순간이기 때문이다.

이것이 180도 역행자의 삶이다.

그것은 너를 위한 투자이자
네가 사랑하는 사람을 위한 투자이자
너로 인해 인생을 바꿀
길 잃은 영혼을 위한 투자가 되기 때문이다.

그래 한 번 미쳐보자!
어차피 인생은 한 번뿐이잖은가?

삶이여 오라!
역경이여 오라!
그 모든 순간을 온몸으로 부딪치리니

♠ 속삭임 | 힐러의 메시지
삶의 반대편에 한 번은 서 보자!
그때 너가 그의 구세주일지 누가 아는가?
또 그가 너의 구세주가 될지 누가 아는가?

켜진 성냥개비

삶이 두려운 것은
물질의 한계에 스스로 가두었기 때문이다.
죽으면 끝이라는 개념으로 살기에 두렵다.

삶의 영원성을 각성하게 되면
두렵다는 차원으로 살지 않는다.
'두렵지 않은 거 같아'라는
저항으로도 살지 않는다.

그는 켜진 성냥개비다.
모든 인간은 시간이라는 한계의 불을 켠다.
조금 빨리 타고, 조금 늦게 탈뿐이다.

이기적으로 살아봐야 의미 없다.
자기 혼자 잘 살겠다고
아등바등 살아봐야 더 외롭다.
오히려 더 두려운 감옥에 갇힌다.

당신이 이곳에 가지고 온
그 불을 켜라!
그 불은 타오르기 위해 기다리고 있다.

어떤 사람은 켜지 않은 상태에 있다.
어떤 사람은 켜는 걸 두려워한다.
어떤 사람은 빨리 꺼지는 걸 걱정한다.

각성한 사람은
빨리 자신을 태우기 위해 노력한다.
어떻게 태워야 세상을 가장 이롭게 할 수 있는지
오직 그것만 생각하고, 오직 그것만 걱정한다.

어차피 한 번 켜질 불이라면
멋지게 타오르도록 켜라!
그것을 빨리 불태워
많은 이들에게 도움의 불이 돼라.

어떻게 하면 가장 아름답고
가장 좋은 도움이 될 수 있을지
켜지 않은 상태에 있을 때 준비하라.

활활 타오르도록
그대를 태워
누군가의 등대가 돼라!

그때 당신의 사랑도
당신의 행복도 함께,
가장 찬란하게 불타오른다.

♠ 속삭임 | 힐러의 메시지
그대는 비추기 위해 왔다

인생은 답이 없는가

없는 줄 알았지

알려주지도 않고
방법도 모르겠고

배우는 건 전혀 달랐어

오로지 이기고 빼앗는
그냥 먹고사는
그리고 육체적인 것 외엔
아무것도 없었어

그런데 이상하게
마음은 채워지지 않는 거야
텅 빈 느낌뿐

그런데 있었어
찾지 않았을 뿐

그건 말이야
자기가 걸어가는 게 답이야
가끔은 뒤를 돌아보면서

나를 사랑하고 나니깐
거기 다 있었어

♠ 속삭임 | 힐러의 메시지

너는 내 안에

성장을 향한 몸부림

아기는 모름을 향해 걷는다.

어쩌면 그것이 부모에겐
아픔인지도 모르면서

하지만 부모는 그 성장이 예쁘다.

아픔과 실수였던 아기도
성장하면
부모의 아픔을 먹으며
자신의 아기를 잉태하기에

모른다고 슬퍼하지 마라!

그 모름을 향해 걷는
그대의 발걸음은

미래 또 다른 아기의
위대한 생명 걸음이 되리니

♠ 속삭임 | 힐러의 메시지

그대의 몸부림 자체가 아름답다

없음을 알 때

세상을 살아간다는 사실,
그 자체가 감사한 것이다.
있음과 없음은 그것을 알게 해 준다.

있을 때는 모른다.
그냥 당연하다.

하지만 없음을 알 때
있음의 소중함을 안다.

그것은 항상 있음으로 당연했다.
하지만 없음이 있다는 것을 알 때
있음은 당연하지 않다.

그때 당신은 다시 태어난다.
이전에 없던 세상을
처음으로 만끽하며 살아간다.

행복은 예전부터 있었다.

♠ **속삭임 | 힐러의 메시지**
없음을 알 때
있음은 소중해진다!

너에게 돌아갈 거야

어릴 적 몰랐지
기억을 상실했기에

그리곤 내 멋대로 살았어
한 마리 길 잃은 영혼이 되어

너에게도 상처를 주고
나에게도 상처를 주면서

가끔은 틀린 것을 알면서도
아집과 무지 속에서
내 길이 옳다며 날들을 보냈어

너에게 준 상처와 피해들은
기억을 못 하는 것도 있을 것이고
지금도 갚을 수 없는 것도 있으며
떠나 버린 너로 인해 갚을 수 없는 것도 있지

꿈에서 깨어나 보니
너무나 어리석음을 알았어

아! 너에게 준 아픔은 나에게 준 고통이요
아! 너에게 준 슬픔은 나에게 준 피눈물이며
아! 너에게 준 피해는 나에게 씻을 수 없는 과오임을

아픔이 견딤을 넘어서고

지독한 외로움이
군중의 삼킴을 이해할 때
너는 내게 들려주었어

이제 와서 무엇으로 갚을까
말로 사과를 하고
눈물로 씻으려 해도 이미 엎어진 물이야

하지만 한 가지 길이 있음을 알았어
지금 주어진 시간 동안
진실이 무엇인지
사랑의 언어가 아닌
삶의 사랑으로 살아감을
무소의 뿔처럼 걸어가는 것

그동안 난 허풍쟁이였어
너로 인해 침묵의 가르침을 배웠어
왜 침묵해야 하는지

네가 바라는 세계를 살아갈게

♠ 속삭임 | 힐러의 메시지
어느 순간 네가 기다리고 있음을 알았어

나의 수호천사에게

잠이 안 와!
가끔 잠이 안 오면 길을 걷지
바람과 함께 걸으며 너랑 얘기를 해

난 네가 거기 있는 줄 알고 있어
왠지 알아?
넌 나의 수호천사였으니깐

예전부터 그랬지
넌 날 지켜줬어
이제는 고백할게
너무 고마웠다고

11톤 트럭이랑 정면충돌했을 때
사람들은 다 죽었다고 했는데 살았지
그것도 안전벨트도 안 했는데

참다 참다 아파서 새벽에 병원 갔을 때
위암으로 판정 나서 고민했지
그때는 사는 게 별 재미가 없어서
수술할까 말까 제비를 뽑았잖아
그때 네가 수술하라고 뽑아줬지

그 외에도 크고 작은 일이 많았지
그때마다 너는 알게 모르게
보일 듯 말 듯

있는 듯 없는 듯
그런가 아닌가 애매모호하게 다가왔지

지금도 널 만나진 않았어
하지만 이제는 너를 믿기로 했지
왜냐하면 네가 없이는 말이 안 되거든
그냥 일방통행이야
네가 일방통행으로 다가왔듯
나도 그렇게 살기로 했어

그게 더 좋고
그게 더 편하고
그게 더 행복하거든
그렇게 살다 보니 미소 지을 일이 많아

어차피 몇 번 죽은 목숨이었는데
살아났잖아
그럼 이제 너와
네가 사랑하는 사람들을 위해 살아야지

그렇게 살아봤더니 전염되더라
옆에 있는 사람들이 미소를 짓고
자신의 삶을 더 사랑하면서
그들과 함께 하는 이들에게 향기를 보네

너로 인해
삶에 책임감을 갖고
살아가는 법을 배웠어

사람들은 잘 모르겠지만
네 얼굴에 미소가 떠나가지 않도록
그렇게 살아갈게

너에게 남은 시간
더 큰 선물들을 가지고 갈 수 있도록
그런 기회들을 만들면서 살아갈게

나에게
무지하고 어리석었던 나에게
인간으로서 살아가는 법을 알려준 너에게
진심으로 고맙다고 말해주고 싶어

사랑해

♠ **속삭임 | 힐러의 메시지**
네가 외로울 땐 내가 다가갈게

너의 드라마를 써라

지금 미쳐버릴 것 같은
상황에 처해 있는 사람은
그 끝에 거의 다다랐다.

무언가를 하고
더 나아가기 위해 도전하고
성공과 성장, 배움을 위해
엄청나게 노력하는 데도

너무 힘들고
숨쉬기도 어렵고
하면 할수록 막막함에 서 있다면

그대는 지금
아주 잘 가고 있다는 증거다.

앞으로 나아가지 않는다면
성장을 위해 도전하지 않는다면
목표를 향해 또 다른 배움을 하지 않는다면

그대는 힘들 하등의 이유가 없다.
미쳐버릴 것 같은 상황은 오지 않는다.
하면 할수록 힘든 것은
목표에 가까이 가면 갈수록
바람의 저항이 강하기 때문이다.

더 힘들고
더 어둡고
더 모르겠고
더 방황이 심하다는 것

그것은 잘 가고 있다는 증거다.
목적지에 거의 다 왔다.

가라!
그냥 가라!
힘든 것,
그것은 그대를 붙잡는 바람이며
그대를 앞으로 나아가게 하는 바람이다!

바람이
바람으로 승화될 때

바람은 저항에서
꿈을 이루는 동지가 된다.

♠ 속삭임 | 힐러의 메시지

저항이 거셈은
반전의 드라마를 완성하기 위함이다!

삶의 권리와 의무

우리가 이 지구에 인간으로 태어났다면,
절실함과 열정적으로
살아야 할 의무도 있다.

어쩌면 지구에 태어난 것이
인간의 권리라면
삶은 의무다.

스스로 권리를 행사했으면서
삶의 무게를 견디기 어렵다고
의무를 이행하지 않는다면
어쩌면 인간의 도리가 아니다.

왜 인간으로 태어난 것이 권리인가?
권리란 인간이 소유할 이로움이다.

존재하는 모든 것은 가치가 있다고 했다.
곧 쓸모 있음이다.
인간이 그 맛을 잃으면
가치가 없어 버려진다고 했는데,
그 가치란 인간의 선한 행실이다.

진선미의 철학처럼
인간은 고유한 존재의 본질을 가지고 있으며
그것이 존재의 가치이며 순수한 아름다움이기에
그렇게 살아야만 하는 존재 지향적 권리를 가진다.

그것이 가치 있음이며
의미 있는 삶이기에
그 길을 따르는 것은
어쩌면 존재적 신성한 의무다.

권리와 의무란
마치 바늘과 실처럼
서로 떨어져 있으면 아무 쓸모가 없듯이
영원한 삶의 미학을 그려내는 날개요 예술이다.

삶이라는 것은 이렇게 존귀하며
아름답고 신성한 권리이자 의무인 것인데
그걸 저버리고 우습게 산다거나
수준 낮은 저급한 삶을 선택하는 것 자체가
스스로에게 치욕을 안겨주는 부끄러운 행위다.

인간의 권리란
삶으로 다가오는 어려운 과제를
스스로 풀어내는 삶의 의무를 다하면서
그 존재적 가치의 본질이 무엇인지
찾아내는 검증과 시험의 과정이다.

그 시험의 고득점자가
바로 빛과 소금의 삶을 살아가는 사람이다.

♠ 속삭임 | 힐러의 메시지

생일은 권리요 삶은 의무다.
먼지 묻은 원석을 갈고닦으라.
시간과 의무 속에 숨겨진 보석이 부끄럽지 않도록.

역할의 힘

성격은
천성적으로 타고난
기질에 의해 형성된다.

그 기질은
첫 번째 DNA 유전자에 의해
두 번째 환경에 의해 결정된다.

타고난 것은 어쩔 수 없지만
환경은 가정에서
좋은 문화를 통해 바뀔 수 있다.

하지만 부모의 가치관이
존경받을 만한
경험과 지혜의 부족으로
성숙하지 못한 경우들도 많다.

이로 인해 행복한 아이로
성장해야 할 자녀들이
애정 결핍과 우울한 환경 속에서 자라난다.

그 결핍은 성장하면서 다양한 문제점을 안겨준다.
친구를 사귀는 것
연애를 하고
직장 생활을 하고
사회생활을 하고

결혼 생활을 하고
다시 자신의 자녀를 양육하는 것
이 모든 삶의 과정에서 오히려 결핍을 채우려 한다.

상대방과 동등한 입장에서
신뢰와 공감을 주고받을 수 있는
그런 입장이어야 하는데
상대방의 에너지를 고갈시키는
에너지 뱀파이어가 된다면
두 사람의 관계는 오래갈 수 없다.

대상과 환경에 따라
다양한 방어기제들이 나타나지만
결국 맨 밑 기저를 따라가면
채워지지 않았던 인정 욕구,
애정 욕구의 결핍으로 인하여
상대방과 수많은 갈등을 유발한다.

친구 간에 오해와 질투를 유발하고
연인 간에 사랑의 증명을 갈구하고
동료 간에 시기와 질투, 이간질을 만들고
부부간에 서운함과 인정 사이에서 줄다리기하고
자녀에게는 자신의 욕구와 욕망을 투사한다.

이를 벗어나기 위한 성숙함이 바로 인격 수양이다.
타자의 인문학을 통한 비교를 통해
거울 치료를 받을 때 성장한다.
자신이 알고 있는 개념과
인생의 철학을 정립한 사람들의 개념을

인지함으로 언행일치의 삶을 추구한다.
이것이 인격을 닦는 길이다.

이러한 인격은
더 좋은 습관을 형성함으로
기존에 형성된 나쁜 습관을 이겨낸다.
좋은 습관은 기존에 잘못 형성된 인격까지도 넘어선다.
그러므로 어려서 부모로부터 형성된
좋은 습관은 삶을 살아가는데 유리하다.

한 단계 더 나아가 역할의 힘은 위대하다.
역할은 기존에 형성된 모든 습관까지도 초월한다.
책임 있는 역할을 맡는 위치에 서게 될 때
인간은 자신도 모르는 힘을 발휘한다.

학교 회장, 부서장, 임원, 대표 등
다른 사람은 하지 않는 일이지만
책임을 맡게 되면 태도부터 달라진다.
특히 미혼 여성이었을 때와
엄마가 되었을 때의 차이는 크다.
자신만을 챙겼던 사람도 엄마가 되면
오로지 자식을 위해 놀라운 힘을 발휘한다.

사람의 성격은 안 바뀐다고 한다.
그렇지 않다.
기질은 인격으로 다스리고
인격은 좋은 습관으로 넘어서며
습관은 역할을 맡으므로
삶을 바라보는 자세가 달라진다.

성장하려면
더 성숙한 삶을 살고 싶다면
남들이 선뜻 나서지 않는
책임을 맡아보라!

그러한 경험이
당신이 생각지 않는
놀라운 세계로의 초대를 받는 기회를 제공한다.

♠ 속삭임 | 힐러의 메시지

역할은 미리 상대의 입장을
경험해 볼 수 있는 놀라운 기회다

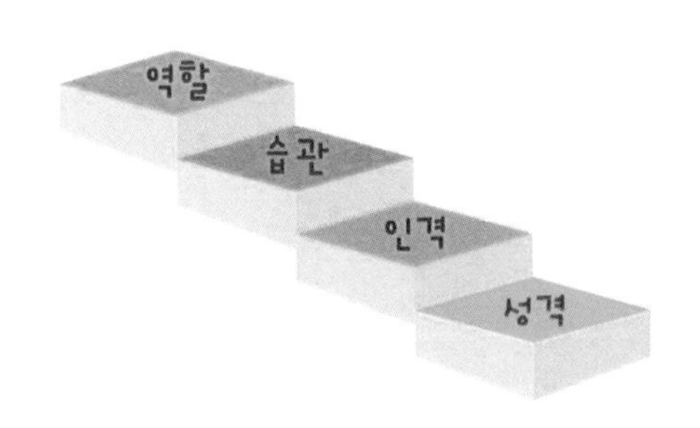

오늘도 한 편의 드라마를 쓰다!

삶의 길은 힘들고,
외롭고 기나긴 여정과의 싸움일 수 있다.
바로 앞도 보이지 않는 어둠과의 싸움,
그리하여 두려움과 무서움이 온몸을 휘감을 수 있다.

하지만 그 기나긴 길을 지치지 않고,
포기하지 않는다면
기회나 선물이
삶의 길에 어쩌면 우연처럼 다가올지 모른다.

하지만 그것은 걷는 자에게 주어진 운명이다!

지금 아픔을 걷는다면 말해주고 싶다.
지금 상처 속에 길을 걷는다면 들려주고 싶다.
길이 먼 것도 아니고,
희망이 절망으로 항상 떨어지지 않으며,
둘레길을 돌아 다시 어느 도착지에 이르면
거기 목적한 또 다른 의미가
기다리고 있음을 발견한다고.

학교 다녔을 때의 미숙한 마음과
청년 시절의 신념과
장년 시절의 방황과 지침, 고달픔이
중년을 지나며 회고해 볼 때
그 모든 것은 그 자체로 의미 있었음을 발견한다.
그리고 더 나은 미래를 향해 걸을 때

성장과 성숙은 품격을 더해간다는
스스로에 대한 신뢰의 확장으로 증명된다.

가치 있는 삶이란 무엇일까?
그것은 같이 어울려 살아갈 줄 아는 아량이다.
홀로 살아갈 수 없는 세상에
'우리'의 울타리를 알아가는 정과 나눔은
각박할 수 있는 시대에도 희망을 쏘아 올린다.

나는 나 자신을 가꾼다.
외모를 가꾸듯 마음을 가꾸는,
아니 영혼을 가꾸는 정원사로 살아간다.
그 기쁨이 어떠한 기쁨이며,
어떠한 행복임을 알기에
부족한 역량 속에서도 나를 지킨다.

인간의 영혼은
사랑을 먹지 않으면 결국 시들어 죽는다.
사랑은 외로움이라는 배고픔을 채우며,
사랑은 공허를 채워주는 유일무이한 약이다.

하지만 이 사랑의 묘약은 그냥 오지 않는다.
수많은 노력과 애정을 쏟아서
'너에게 줄 때 나에게로 오는' 공기의 흐름과 같다.
잡히지도 보이지도 않지만 공기는 바람을 일으킨다.

사랑은 보이지도 들리지도 않고,
가장 힘없이 연약한 듯 보이지만
인간이 살아갈 수 있는 유일무이한 산소와 같다.

그 사랑의 바람이 온몸을 휘감아 돌 때,
지금까지 살아온 자아의 모든 것을 태워버린다.

외로움에 몸서리치고,
삶의 무의미로 하늘을 원망하며,
사람의 인정과 애정에 목말라하면서
행복을 찾아 갈급하기를 지난한 시간...

그 답은
진정한 사랑의 줌을 배울 때 채워짐을,
대상과 관계를 넘어,
조건과 결과에 구애됨이 없이
모든 이에 대한 순수한 사랑을 해낼 때 다가옴을 알았다.
그동안 알고 있었던 인식의 모든 것을 태워버린다.

잡으려 할 때는 도망갔지만
내려놓으니 다 채워졌다.

잡을 것도
채울 것도 없는데
그토록 잡으려 했으니 어찌 가능하리오!

행복과
사랑과
채움과
자유는
거기에 보물처럼 쌓아놓고 기다리고 있었다.

진짜를 주는 법을 아는 것!

나는 너였고
너는 나였으며
우리는 그렇게 하나였다.

우리는 극적인 드라마를
실화처럼 함께 찍고 있었다.

그동안 나는 그것이 드라마인지 몰랐다.
실화로 착각하여 죽을 지경처럼 연기했다.
오랜 무지의 고행을 거친 후
난 영화관에 앉아 있는 나를 발견했다.
그리고 나의 자아는 필름 속에서 울면서 연기하고 있었다.

이제 연기하는 나를 본다.
그리고 각성한 나는,
나의 실체를 잊지 않는다.
내가 누구인지를...

그 드라마의 역할에 맞게 난 이제 연출한다.
주인공이자
조연이자
엑스트라이자
감독으로서 말이다.

내 주인공 역할에 너는 조연으로 다가왔고,
네 주인공 역할에
조연이자 엑스트라로
나는 너를 빛내주기 위해 오늘도 열연한다.

진짜 멋진 드라마를
스스로 연출한 자신에게
박수를 보내는 관객으로서

♠ **속삭임 | 힐러의 메시지**
오늘도 한 편의 드라마를 쓰는
너의 사랑스런 연기에 박수를 보내.
진실함으로 살아낼 수 있는 너의 순수에
너의 사랑에

Love you

올바른 사람

"나쁜 사람의 문제점이 뭔지 아세요?"
"자기가 나쁜 사람인지 모른다는 겁니다."

"착한 사람들의 문제점이 뭔지 아세요?"
"자신이 착하지 않다고 생각하는 겁니다."

나쁜 사람은
자신이 무엇이 문제인지도 모르지만,
착한 사람은
잘하는 것은 그저 그런 것이고,
못하는 부분만 부족하다는 의식이 강화되어 있다.

이 세상에 부족하지 않은 사람은 없다.
부족한 것은 보완하고,
잘하는 것은 칭찬할 줄 알아야 한다.

우리는 누구나
'잘하고 있다'는 소리를 듣고 싶어 한다.
이것은 누구나 가지고 있는
인정받고 싶은 욕구다.

그러면 잘하는 것은 누구보다 스스로
'잘하고 있다'는 그런 말을 해주어야 한다.
누구보다 그 소리를
해주어야 할 사람은 자기 자신이다.

이제 강해지고,
담대하면서 자주 말하라!
당신은 훌륭한 사람이라고.

멋지게 아름다운 인생을 사는 것!
인간이 향기 나는 인생을 산다는 것!
올바른 가치관을 가지고 산다는 것!

그것은 축복받은 인생이다.
그것보다 더 멋진 인생 작품은 없다.
스스로 그런 내공을 쌓아가라!

♠ 속삭임 | 힐러의 메시지
나쁜 사람도 되지 마시고
착한 사람도 되지 마세요.
오로지 올바른 사람이 되세요!

그 무엇의 길

그 무엇은

그 무언가
그 누군가의
희생으로 탄생한다

그 무엇이 있는가
그 무언가를 투자하라

그 무엇을 위해
당신은 희생할 용기가 있는가

그것이 있을 때
그 무엇은
그대에게 올 것이다

있음은 그대로이며
없음은 있음으로 가는
그 여정이
그 무엇으로의 간극을 줄임이다

♠ 속삭임 | 힐러의 메시지

가고 있다는 것은
이미 얻음을 앎이다

지구별 소꿉놀이

우리는 여행자

머나먼 별들에서 떠나와
육체의 옷을 입고
지구별에 찾아온 나그네

여기가 어디인지
어디서 왔는지
무엇을 하여야 하는지
지금 무엇을 하고 있는지
다시 어디로 가야 하는지도 모르고

잠시 방황과 갈등,
고민의 바람에 흔들리지만
우리는 살아야 하기에
아니 살아가야 하기에

배우고 가진 모양에 따라
자기 색깔을 가지고
각자의 소꿉놀이를 즐긴다.

그래도 놀이지만
가장 행복하고
가장 예쁜 사랑을 하다가

이제 다 되었다는 종이 울리면

우리는 각자 일어나
빈손 털고 집으로 향한다.

다시 만날 내일의
소꿉친구를 기다리며
우리는 우리의 여행을 떠난다.

♠ 속삭임 | 힐러의 메시지

소꿉놀이 재밌었니?
나 너를 만나 행복했어.
그리고 고맙다고 전해주고 싶어.

제6장 언어의 그릇 ; 감정과 생각

따숨 | 결핍과 채움 | 더 나은 방법을 생각해 내 | 감정과 생각의 기능 | 생각과 감정 그리고 있음 | 온기와 향기 | 우리는 인간 언어의 발달 과정을 보고 있습니다 | 데이터 해석력

따숨

공감을 해주는 언어처럼
따뜻한 언어는 없다.

공감이란
마음을 알아주고
마음을 느끼게 해주고
마음을 움직이게 해주고
눈에서 눈물이 흐르게 해주는 언어다.

누구나 듣고 싶은
따뜻한 언어
따숨이다.

바로 당신의
따뜻한 숨결이
모두 그립다.

누가 해주기를
기다리는 것보다
당신이 먼저 해주기를

"네가 보고 싶었어!"

♠ **속삭임 | 힐러의 메시지**

네 곁에 고픈 영혼이 울고 있어

결핍과 채움

사랑받을 때 사랑을 받아야
애정 결핍이나 애착 결핍이 해소될 수 있다.
충분히 사랑받고 나면, 채워졌다는 포만감에
타인을 사랑할 수 있는 힘이 생긴다.

하지만 어렸을 때 애정 결핍으로
채워지지 않은 영혼의 고픔을 가지고 자라면
성인이 되어서도 그 결핍은 해소되지 않으며
자녀에게도 따뜻한 정을 줄줄 모른다.

쌀쌀함이나 매몰찬 느낌, 차갑고 매정한 느낌은
그런 따뜻함을 받아보지 않은 현상 중 하나다.
이는 자신이 세상에서
가장 사랑받아야 할 대상으로부터
인정받지 못하고 내쳐진 느낌이다.

그렇게 될 때 타인을 통해
끊임없이 인정받으려는 욕구에 스스로 갇힌다.
그것을 채움 받지 못할 때 타인을 지배하려 한다.
가스라이팅을 통한 지배나
권력을 통한 지배를 행사하려 한다.
부와 명예를 통한 우회적인 과시 또한
채움 받지 못한 욕구의 또 다른 표현이다.

스스로 채움을 받으면 무엇으로 채우려 하지 않는다.
그것들은 하나의 도구일 뿐이지 목적이 아니다.

채움을 받지 못한 결핍자들은
그러한 도구들이 과시용이다.
'내가 이 정도로 이루었어. 어때 나 대단하지?'라는

하지만 그것이 더 나은 것을 위한 도구로만 활용될 때
그것으로 채우려 하지 않으며, 굳이 드러내려 하지 않는다.
그것은 타인과 세상을 더 이롭게 하는 수단일 뿐이다.

채움은 내적으로 채우는 것이지
외적으로 채우는 것이 아니다.
외적으로는 절대 채워지지 않는다.

어렸을 때의 채움은 대부분 저절로 채워진다.
부모와 환경을 통한 채움이기 때문에.

이때 채움 받지 못한 사람은 대부분 결핍으로 남는다.
이는 또 다른 대상을 요구한다.
학교에서 친구나 선생님,
사회의 선배나 멘토를 통해.

좋은 사람을 만나는 것은
그래서 인생의 커다란 축복이다.
가족으로부터 채움을 받지 못한 사람이
세상을 통해 채움 받기란 하늘의 별따기처럼 어렵다.

이때 그는 스스로 배워야 한다.
자아의 인격적 성장을 위한
가치관의 확립과 철학을 요구한다.
하지만 사회로 내던져진 성인은

그것에 대한 필요성을 상실한다.
생계와 사회적 성공을 위한 경쟁으로 내몰리기 때문이다.

그래서 중년이 되면 그 결과의 열매를 받는다.
마흔이면 불혹이라고 했다.
세상의 유혹적 현상에 지배받는 존재가 아니라
삶에 대한 철학이 정립된
진정한 어른으로 자신을 성숙시키며
타인을 위한 겸손과 배려, 지혜와 사랑
공동체를 위한 나눔과 이타애를 실현하는 단계다.

그렇지 않은 많은 사람들이
외적, 물질적 유혹에 노예로 살아간다.
이기적이며, 사악하지만 그것을 감추고 살아간다.
하지만 삶의 철학이 뚜렷한 사람들의 눈에는
그들의 추악한 민낯이 거울처럼 보인다.

조금의 차이가 있지만
인간은 이렇게 두 유형으로 나뉜다.
평안함과 온유함, 자비로움과 여유가 넘치는가 하면
항상 불안과 초조함, 의심과 두려움으로
하루하루 시간을 쫓기는 삶으로 살아간다.

전자냐 아니면 후자냐의 인생은
스스로 심은 대로 거둔다는
인과의 법칙을 따라 그 얼굴에 새겨진다.

♠ 속삭임 | 힐러의 메시지

그의 얼굴은 그의 삶의 노래다

더 나은 방법을 생각해 내

세상이 울고 있어
너무나 많은 곳에서
너무나 많은 사람들이

길을 몰라서
방법을 몰라서
고통스러워하면서
살려달라고 아우성치는데

우크라이나와 러시아 전쟁을 봐
이스라엘과 하마스 전쟁을 봐
미국과 유럽에서 자행되는
인종차별을 봐

너무나 참혹해
너무나 잔인해
그 폭력은 멈추질 않아
그렇게 오랜 날 폭력에 폭력을 자행했지만
그 해결은 끝날 기미가 안 보여

폭력으로는 문제를 해결할 수 없어
결코 해결할 수 없어
우리는 아직까지 해결하지 못했지만
우리는 아직 길을 찾지 못했지만
그래도 찾아야 해

더 나은 방법을
어떻게든 우리는
우리가 공존할 수 있는 길을 모색해야 해

그것만이 문제를 해결할 수 있으며
그것만이 세상을 바꿀 수 있어

할 수 없다고 단정하면 할 게 없어
하지만 할 수 있다고 찾으면
그 가능성은 있어
우리는 우리를 기다리고 있는
더 나은 방법을 찾기 위해 나아가야 해

우리 모두가 함께
행복하게 살아가기 위해서

♠ 속삭임 | 힐러의 메시지
더 나은 세상이 우리를 기다리고 있어

감정과 생각의 기능

감정은 오감을 통해 들어오는 정보요
생각은 이성을 통해 일어나는
또는 일으키는 정보다.

감정은 감각 기능을 통해 수동적으로 수용한다.
대부분 외부에 의해 들어오는 감각을 느낀다.
감지하여 알아차리기 전에
기분이 좋네 또는 나쁘네 라는 감정이 올라온다.

감정은 하루 종일 또는 매일의
기분을 좌우하기에
방치하면 스트레스가 쌓인다.
수동적이고 수용적이며
외부 환경과 사건, 사람에 의해 일어나기에
방치하면 그대로 부정적 에너지만 누적되며
삶이 피곤하고, 지치게 된다.

이를 능동적으로 바꾸려면
주어지는 정보에 의해 무조건적으로 수용되는
프로세스를 바꾸어 주어야 한다.

아, 짜증 나!
아, 기분 나빠!
저게 왜 저기에 있는 거야!
저 인간이 내 성질 돋우네!
이러한 자극적인 정보를 다르게 해석해야 한다.

아침마다 비슷한 반찬만 해주어서 짜증났다.
다른 해석은,
자신은 그 시간에 잠만 자는데,
아내와 엄마는 그 시간에 식사 준비를 한다.
고마운 줄 알아야지.

'아니, 신호등이 왜 자꾸 빨간불이야! 기분 나쁘게.'
급히 가다가 사고 날 수 있는데,
여유를 가지고 가면 마음까지도 편안해진다.

하수관 도로포장으로 집 앞길을 돌아가야 할 때,
우회전 표시를 보며,
'저게 왜 저기에 있는 거야!'라고 화를 내기보다는
'막혀서 역류할 수 있는 하수관을
새로 만들어 주니 감사하네.'

상사가 기획서를 다시 해오라고
내 성질을 돋우게 할 때,
업무 역량을 강화해서
'더 빨리 승진할 수 있도록 하는구나!'

이런 식으로 사건과 환경,
사람으로 인해 만들어지는 감정의 상태를
의식적으로 그것을 논리적, 합리적 타당성에 의해
수용 가능한 방식으로 능동화시킨다.

이러한 자발적인 능동화는
부정적 스트레스에 의해 일어났던 감정을

이해하고 받아들일 수 있는
각성된 자기 합리화로 세팅된다.

이 과정이 중요한 이유는
수동적 감정의 수용은
타의에 의해 들어오는
부정적 스트레스로 작동하지만

능동적 감정의 재해석으로 인한 수용은
자의에 의해 입력하는 긍정화로
그 순간의 상태와 상황을 바꾸어 버린다.
이렇게 상황의 주인이 되는 것은
삶의 주인으로 살아가게 만든다.

감정은 정보가 오감에 의해 주어진다고 보면
생각은 오감을 통해서도 들어오지만
기존에 가진 기억의 정보를 불러와서
융합, 분석, 비교, 판단, 업데이트한다.

감정은
상황을 무비판적으로 입력하는 하드웨어라면
생각은
그 데이터를 받아들여 재해석하는 소프트웨어다.

생각 좀 하고 말하라고 하듯이
생각은 이렇게 상황을 바꾸는 역할을 하기에
생각을 깊이 할수록 어려운 상황도
쉽게 풀 수 있는 문제해결력을 강화시킨다.

보이는 대로 받아들이지 말고
나타나는 대로 대응하지 말며
느끼는 대로 말하지 않고
일어나는 대로 행동하지 않는다면
생각은 상황을 주도하고
감정은 생각의 흐름을 따라 순응하게 된다.

상황을 주도하는 생각에 의해
삶의 주도권이 자신에게 있다는
사실을 명확하게 발견하면
더 이상 시선의 노예가 되지 않으며
감정의 지배를 받지 않는다.

♠ 속삭임 | 힐러의 메시지
수동화된 기능의 능동화를 위하여
생각이 지향하는 의도를 감정에게 전달하라

생각과 감정 그리고 있음

생각과 감정은
작용에 의한 상태이지
존재가 아니다.

상태나 작용은
무엇에 의해 일어나는 현상일 뿐이다.
하지만 존재는 있음이다.
있음이란 이름이 명명되기 전부터
본래 존재했다.

현상은 무엇에 의해 일어나는
일시적 작용이나
상태이기에 있다가 사라지며,
사라졌다가 다시 일어난다.
마치 바람처럼, 물처럼 흐른다.

존재는 항상 있기에 주시자다.
일어나는 현상을 목격하는 목격자다.

그러므로 현상은
항상 변덕을 부리는 자아요.
존재는 시작과 끝이 없는
의식이며, 본래의 자신이다.

의식의 인식자는 알아차림이요.
알아차림의 매개체는 자아다.

생각과 감정은 알아차림을 통해
분별하도록 현상을 일으킨다.

무슨 분별?
개념 있는 삶을 위한
올바른 선택을 돕도록
객관식 사지선다를 제공한다.
마음은 생각과 감정으로 독촉한다

자아는 알아차림을 통해서
개념 있는 선택을 할 때
비로소 미몽의 구속에서 해방되며
진정한 자유와 행복을 누린다.

♠ 속삭임 | 힐러의 메시지
스스로를 구원하라

온기와 향기

사람에게는 온기와 향기가 있다.

따뜻하게 산 사람에게는 온기가 있고
아름답게 산 사람에게는 향기가 있다.

따뜻함을 잃어버리면
사람은 차갑고 매섭다.

아름다움을 잃어버리면
사람은 거짓되고 위선적이다.

얼굴과 그의 눈매에 온기가 서려 있고
손과 발에는 그의 향기가 담겨 있다.

얼굴의 온화함은
사람을 편안하게 하고

마음의 아름다움은
사람을 미소 짓게 만든다.

말과 행동을 따뜻하게 하는
사람은
온화한 사람이요.

마음이 진실되고 순수한
사람은

아름다운 사람이다.

그대가 온화함으로 다가온다면
나는 향기로움으로 다가가겠소.

♠ 속삭임 | 힐러의 메시지
사랑이 꽃피우는 곳에는
그대의 온기와 나의 향기가 묻어 있다

우리는 인간 언어의 발달 과정을 보고 있습니다

아이는 처음에 울기만 합니다.
시간이 지나면 옹알거리기 시작합니다.
조금 더 지나면 반응적 소리로 바뀝니다.
그리고 다시 욕구와 불만도 표현하며,
가끔은 주고받는 의미적 소통도 할 줄 알게 됩니다.

울음에서 옹알이로
옹알이에서 반응으로
반응에서 욕구로
욕구에서 긴가민가로
긴가민가에서 의미로
의미에서 소통으로 나아갑니다.
이렇게 소리는 의미로 나아갑니다.

소리에 점차 의미를 담아내는 과정.
소리에 의미가 담기면 드디어 소통이 됩니다.

이렇게 언어란 의미를 담아내는 과정입니다.
그래서 의미 없는 대화가 무의미하고,
공허한 이유가 여기에 있습니다.

장성한 많은 성인들이
말은 하는데
의미는 사라지고 소리만 남는 경우가 많습니다.

그건 말은 하는데
의미보다는 감정을 더 많이 담아내기 때문입니다.
그것도 격한 부정적 분노와 짜증적 감정을요.

그때 전달되는 것은 의미가 아닙니다.
상대에게는 오직 분노와 짜증만 전달됩니다.
의미는 사라지고 감정의 소리만 전달되죠.
소통이 아닌 단절감만 커집니다.

성인이 되어서도 화를 내고
짜증과 분노하는 이유는
아이가 울고 있는 것과 같습니다.
아이는 소통할 줄 모르기에
울음으로써 자신의 욕망을 표현합니다.
소통의 언어를 상실한 어른들은 의미를 전달할 줄 몰라
부정적인 감정과 분노의 언어로 자신의 의사를 표현합니다.

성숙한 사람은
그 소리 이면에 전달하려는 의미를 찾아냅니다.
마치 아이의 울음과 옹알이에서도
아이가 요구하는 의도를 알아차리는 엄마처럼요.
이것이 소통할 줄 아는 자의 방식입니다.
대화를 성숙하게 해내는 단계에 이르면,
청자의 입장이든 화자의 입장이든 상관없이
그것을 의미 있게 해석해 내어 상대에게 전달할 수 있습니다.

현대인은 소통하는 법을 상실했습니다.
단절감만 커졌습니다.

그래서 소외감이 들며, 외롭습니다.
이는 삶에 의욕을 잃고 상실감을 키웁니다.
그것이 우울감입니다.

현대인은 그 우울감의 증폭으로 인해
고립되었습니다.
고립은 혼자라는 고독의 감옥에 가둡니다.
삶의 의미를 상실합니다.

그 고독과 우울감, 혼자라는 소외감
상실과 단절의 외로움에서 벗어나려면
소통하는 법을 다시 배워야 합니다.
이는 전달하는 언어에 의미를 담아야 합니다.

몸짓이 아닌 의미 있는 이름을 담아서 불러줄 때
상대는 행복해하며 살아납니다.
그때 나도 함께 살아납니다.
우리는 그때 함께 살아가는 재미를 느끼며
삶의 의미를 부여합니다.
그것이 언어가 가진 의미이며 진정한 소통입니다.

"내가 너의 이름을 불러주기 전에는
너는 하나의 몸짓이었다.
내가 너의 이름을 불러주었을 때
너는 나에게로 와서 꽃이 되었다."

우리는 모두 고독이라는
외로운 몸짓의 몸부림을 치고 있습니다.

이때 의미를 부여해 상대를 불러주세요.
그는 나에게로 와서 미소가 될 것입니다.
그와 나는 하나 된 소통의 기쁨을 누리며
행복의 꽃을 피울 것입니다.

오래된 기억은
당신이 이 꽃을 피우도록
불러주기를 기다리고 있습니다.

♠ 속삭임 | 힐러의 메시지

네 마음의 소리를 듣고 싶어

선생님은 제가 꽃을 피울 수 있게 물을
주시고 사랑을 주신 분이세요. 선생님
덕분에 예쁜 꽃을 피울 수 있었던 것
같아요. 더 이상 나만 꽃을 피우지
못했던 것 같은 과거의 제가 아닌
현재는 예쁘게 꽃을 피운 제가 이
자리에 있네요 ㅎㅎ 정말 감사드려요.
오후 2:05

데이터 해석력

데이터가 중요한 게 아니라
데이터 해석력이 중요하다!

데이터가 무엇일까?
쉽게 말하면 정보다.

정보 자체는 큰 의미가 없다.
모르는 것보다 낫지만
사용하지 않으면 의미 없다.
그걸 어떻게 사용하느냐가 중요하다.

첩보 부대가 있고
정보 장교가 있고
또 기밀 데이터를 해석하는 전문가가 있고
그 후에 그걸 분류, 검증, 융합해서
최고 결정권자에게 보고하는 체계가 있다.
국가 정보도 이렇게
중요한 해석 과정을 통해 만들어진다.

마찬가지로 우리가
오감을 통하여 받아들이는 지식은 데이터다.
수많은 데이터는 기억에 저장된 정보일 뿐이다.
그걸 내가 어떻게 활용하느냐는
나에게 가장 의미 있게 재해석하여
재활용할 줄 알게 될 때 가치가 있다.

삶이란 지식의 총합이 아니라

어찌 보면 데이터 해석의 총합이다.
왜냐하면 입력된 데이터를 재해석하여
나에게 가장 가치 있게 응용한 지식,
곧 그 지식을 삶에 맞게 적용한 총합이
그 자신의 자아를 나타내기 때문이다.

그러므로 주입된 지식은
내 것이 아니라 남의 것이다.
기억된 남의 데이터다.

언행일치라 하였듯이
그것은 일치가 되지 않은 '언'에 해당한다.
알고는 있지만 행동하고는 일치하지 않는
거짓된 자아로 살고 있는 이중의 '나'다.

알고 있던 지식을
삶에 적용하여 실패와 성공,
아픔과 기쁨, 실수와 성취 등
다양한 삶의 경험칙을 통하여
자신만의 노하우로 쌓아 올렸을 때
그것은 이제 남의 지식이 아니라
나만의 지혜로 탄생한다.

이때 '언'은 '행'으로 태어난다.

이제 기억된 남의 지식이 아닌
자신만의 가치관과 철학으로 정립된
나의 지식으로 태어난 것이다.

언행일치가 이루어지면

이제 거짓된 자아로 살지 않는다.
그는 겉과 속이 똑같다.
오직 순수와 진실, 사랑과 행복으로
이 세상을 넉넉히 살아갈 힘을 가지고 있다.

책이나 타인의 강의, 설교들은
아직 분류되지 않은 수많은 데이터다.
누구는 이렇게 살아라
또 누구는 저렇게 살아라
모두가 다른 지식을 알려준다.
그래서 혼란스럽다.

그건 아직 '언'에 머물러 있기 때문이다.
이제 자신의 것으로 가져오려면
그 데이터를 가공해야 한다.
나만의 것으로 재해석될 때 행동하게 된다.
'아! 그게 그런 뜻이었어?'라고
명료하게 인지하게 된 것이다.

스스로 왜 그래야 하는지
그 이유를 이해하고
그 과정을 풀어서
전체를 보는 눈을 갖게 되면
하지 말라고 해도
스스로 선택하는 삶을 살 수 있게 된다.

이것이 데이터 해석력이다.

♠ 속삭임 | 힐러의 메시지

너와 나를 이롭게 하는 삶
그것은 데이터의 재해석, 곧 언행일치의 삶이다

제7장 진리 그리고 공동체

너는 누구니? | 빛의 숨바꼭질 | 의미(意味)와 무의미(無意味)의 여행 | 원리와 논리 | 단 한 명만이라도 | 윤회의 서 | 다름과 틀림의 차이 | 알아차림의 다른 말 | 우리의 울타리 | 어서 오세요 | 옳은 길을 가는 사람들은 | 여기에 온 이유 | 생각지 않은 | 이타애 그리고 거대한 착각 | 하나였던 우리 ; 다시 하나로 | 너와 함께 떠나는 여행 | 나에게 나아오라

너는 누구니?

너는 누구니?
난 바닷물이야!

나도 바닷물인데.
뭐 우리는 같은 바다에 사니깐.

근데 우리는 왜 너와 나일까?
그야, 너는 거기 있고
나는 여기에 있잖아!

음, 그렇군.
우린 얼마나 여기에 살았을까?
글쎄, 우리 아버지의 아버지가 여기 사셨고
또 그 아버지의 아버지가 사셨는데
그게 얼마나 오래되었는지는 모르겠는데.

너는 어느 나라에서 왔니?
나는 동태평양 바다에서 왔어.
너는 어디에서 왔어?
나는 남대서양 바다에서 왔어.

멀리서 여행 왔구나!
그런데 우리의 나라 구별이 필요할까?
그러게 이렇게 돌고 돌아 다시 만나고
또 평생을 같이 있을 것 같아도

곧 다시 헤어져 만나지 못하는데 말야.

그러고 보면 너와 나의 구별도
필요하지 않은 거 같아.
네가 있던 자리에 어제 내가 있었고
내가 있던 자리에 네가 있었잖아.

그러네.
그런데 우리는 그 오랜 시간을
수많은 조상으로부터 오늘에 이르기까지
돌고 돌아 왜 여기에 와 있을까?

그것은 연결이 아닐까?

과거에서 오늘 그리고 미래로
우리는 물이었으며 수증기였고
얼음이었으며 바다였다.

산 정상에도 존재했고
깊은 계곡에도 떨어졌으며
골짜기와 강을 지나 수많은 너를 만났고
다시 바다에서 우리는 하나였다.

바다에서 하늘로 솟구쳐 오르기도 하였고
다시 땅으로 처박혀
모든 것을 상실하기도 하였다.

갈라지고 만나고

사라지고 다시 우연처럼 나타나
섞이고 하나 되면서
너와 나의 구별이 생기고
저기와 여기의 차이가 만들어졌다.

그랬던 시대의 기억들은
다시 조각조각 서로를 맞춰가고 있다.
혼자는 살아갈 수 없기에
혼자는 날 수 없기에
너무나 외로운 존재들이 만나
서로의 마음의 문을 열고 의문문을 제기한다.

우리는 본래 하나가 아니었는가?
다시 만나 긴긴날의 회포를 풀고
하나가 되고 싶은 영혼들이
먼저 다가와 자신의 모든 것을 내려놓는다.

의심하는 영혼들은 검증한다.
진짜인가?
거짓이 아닌가?
또 무엇을 속이려고.
허어, 근데 다르다.
무언가 다르다.

그 다름이 검증의 시간이 지나면
그들은 하나가 된다.
우리는 모두가 그 시간을 기다렸고
우리는 모두가 그날이 오기를 바랬다.

그리고 누가 먼저 다가와
손을 내밀어주기를
아주 오래전 약속을 기다리고 있었다.

먼 훗날에
그 약속이 이루어지리라는
우리 조상의 조상들이 예언한
그날이 반드시 와야만 하리라는 것을.

우리는 모두 그렇게 사랑받고 싶었다.

♠ 속삭임 | 힐러의 메시지
우리는 그렇게 하나로 연결된 바다였다

빛의 숨바꼭질

심심했던 너는
숨바꼭질을 시작했다.
빛을 숨기기로

갑자기 사라진 빛으로 인하여
어둠은 길을 잃게 만들었고
망각과 함께 방황이 들어왔다.

무언가가 있었던 것 같았는데,
무언가를 놓쳤다는 느낌만 남았다.
그것이 무엇인지 모른 채로

무엇을 하고
어디를 가고
다 가진 것 같았지만
시간이 지나면
여지없이 찾아오는 공허는
너에게 잃어버린 것을 찾도록 만들었다.

분명히 무언가 있었는데
그게 무엇이었지?

정말 알 수 없었다.
도무지 찾을 수 없었다.
여기에 묻고

저기를 가도
답이 없는 메이리뿐

그렇게 사는 거야!
남들도 다 그래.
한 세상 뭐 있어?

아니다.
내가 나인 것은
무언가 이유가 있을 것이다.

왜 내가 나이어야 하고
왜 이 시대에 태어나 여기서 이것을 할까?
도대체 나는 어디에서 왔으며
어디로 가려는 걸까?

공허란 어떤 면에서 보면
원래는 채워져야 할 것이 있는데
그 무언가가 채워지지 않은 상태다.

그 무언가가 있다는 느낌,
어느 순간
너는 그것이 빛이었음을 알아차렸다.
네가 태초에 숨겼던 빛

빛은 만물에게 생명을 준다.
인간에게 생명은 사랑이요
사랑은 삶의 의미다.

왜냐하면 사랑이 없으면
공허로 목말라 죽는데
의미 있는 삶으로 인해 생명을 이어간다.
그러므로 사랑은 의미 있음이다.

삶이 무의미하면 목적을 상실하여
우울하고 공허하거나
죽음에 입 맞추듯
삶에 의미를 부여함은 사랑이다.

조건 없는 순수한 사랑은
상대방을 살리고
자신 또한 무한한 행복으로
살아가는 삶의 모멘텀이 된다.

그 빛은 밖에 있지 않았다.
자신 안에 불러주지 않음으로
잠을 자고 있었다.

깨우는 방식은 간단하였다.
불러주면 되는 것을

모르는 너를
우연처럼 스치듯 만나는 모든 인연을
진심으로 불러주기를
그토록 기다리고 있었다.

♠ 속삭임 | 힐러의 메시지

숨었다 나타나고 숨었다 나타나고
너는 그렇게 숨바꼭질을 즐겼다
사랑을 찾아서

의미(意味)와 무의미(無意味)의 여행

의미란
말과 글의 뜻이며
사물과 현상의 가치,
곧 세상의 가치 있는 것을 말한다.

가치가 있으려면 의미가 있어야 한다.
값이 있으려면 의미 있는 것일 때 가능하다.
이렇게 값과 의미는 상통한다.

의미란 또한 뜻(意)과 맛(味)이다.
그것이 그것이 되는 것은
뜻을 담고 맛을 담아야 한다.
그래야 의미 있다는 말이다.

뜻을 담는다는 것은
속마음을 말하며
진정성이나 본질 또는 동기를 말한다.

우리는 사랑을
거짓으로 한다는 것을 아는 순간
엄청난 배신감을 느낀다.
그것은 진정성이 아닌 마음이기 때문이다.
곧 의미란 진실이며, 참이며, 옳음이다.

다음으로 의미는 맛을 담는다.

음식이 맛이 없으면 먹지 않는다.
맛은 즐거움과 행복을 더한다.
그것을 가치 있게 만들어 준다.

그것이 그것을 담지 못할 때
그것은 그것으로서의 가치를 상실한다.
나무가 나무인 것은 그것의 가치와 미(美)이며
소금이 소금인 것은 그것의 효용성인 맛이다.
소금이 짠맛을 잃으면 무슨 소용이 있으며
사람이 사람의 가치를 상실하면
무슨 존재의 의미가 있으리오.

세상의 모든 것들은 그것으로서의 의미를 지니며
그 실체적 존재의 가치를 지니고 있다.
사람의 가치는 무엇일까?
진실과 사랑, 순수성은 인간이 가진 고유의 내재된 맛이며
나눔과 배려, 공동체가 공존할 수 있는 이로움은
인간이 인간으로서 행할 수 있는 아름다운 외재된 멋이다.
이것이 인간으로서 누릴 수 있는 행복의 가치다.

자연은 그것이 그것이다.
그것이 그것이 아닌 존재는 인간만이 가지고 있다.
자연은 있는 그대로인데,
인간은 겉과 속이 다른 표리부동의 마음을 가질 수 있다.

그것이 그것이 아닐 때
곧, 인간이 인간이 아닐 때
인간은 인간으로서의 존재 의미와 가치를 상실한다.

그는 인간이 아니기 때문이다.
'으이구 이 인간아!'에는
바로 인간의 가치를 상실할 때
사람들의 입에서 저절로 나오는 부정적 감탄사 중 하나다.

그러므로 인간이 인간다운 삶의 향기를 발하지 않을 때
곧 그의 평상시 언행에서 거짓되거나
위선적이거나 이기적이면서 매몰찰 때
그는 의미 없는 삶을 반복하기 때문에
무의미해지면서 삶은 공허로 가득 찬다.

삶에 의미가 있으려면
생명의 호흡을 불어넣을 줄 알아야 한다.
이는 말을 따뜻하게 할 줄 알아야 하고,
따뜻하게 상대의 눈과 얼굴을 바라볼 줄 알아야 한다.
그때 서로의 마음은 누그러지면서
그 공간을 기분 좋음으로 채운다.

그러한 삶이 가치 있는 삶이며
맛과 멋이 있는 삶이다.

♠ **속삭임 | 힐러의 메시지**

의미와 가치 있는 삶이란
맛과 멋이 있는 삶이다

원리와 논리

원리는 있다
논리를 그걸 찾아낸다
왜 그렇게 되어야 하는지를

원리는 하늘이 정한다
논리는 인간이 만든다

원리와 논리는 둘 다 이치다
原理는 근본의 理요
論理는 그 근본을
누구나 합리적으로 타당하게
받아들이도록 설득하는 理다

목적은 원리에 이르는 길이며
수단은 모두 논리적으로
거기에 이르는 방법들이다

수단이 없으면 목적지에 이를 수 없다
고로 우리가 무엇을 함은
거기에 이르기 위함이며
무엇을 하지 않음은 관심 없음의 표현이다

그러므로 우리가 사랑한다고 말하고
그에 합당한 행위를 하지 않음은
그의 말이 거짓임을 증명함이요

그에 합당한 행위를 함은
말하지 않아도
그가 사랑하고 있음을 표현함이다

그의 생각이나 말은 모두
그의 행위로써 증명된다

그의 목적이 무엇이든 상관없다

목적이 물질적이든
정신적이든
이기적이든
이타적이든 상관없다

인간은 누구나
자신의 목적을 성취하기 위해
무엇이든 할 것이다

중요한 것은 그 목적을 성취하고 나서다
만족을 하는 사람은 멈춘다.
목적지에 도착하였기 때문이다

만족하지 못한 사람은
다시 목적을 재설정한다
거기가 진정한 목적지가 아님을
스스로 발견하였기 때문이다

이렇게 인간은 스스로 진보한다
생각이 깊을수록
이타적일수록
의식이 높을수록
더 빨리 더 높이 더 멀리 날아간다

이는 인간이 단순한 고깃덩어리가 아니요
의식의 존재이기 때문이다
인간은 생각이 깊어질수록
자신이 생각하는 것보다
더 놀라운 차원으로 올라간다

'내가 이런 사람이야!'
하고 말이다

자신에게 실망하는 사람이 있는가 하면
자신이 너무 대견하고 아름다워
스스로 존경하는 경지에 이르기도 한다

논리는 원리를 발견하면 놀란다
그리고 멈춘다
더 이상 스스로를 위해 추구하지 않는다
이제 인류를 보는 눈이 열린 것이다

그들은 남이 아니다
자신의 가족이며
더 나아가 자신이었다

스스로 내면에서
타인이 미처 인식하지 못하는 가운데
타인을
자신을 대하듯 태도를 취한다면
그는 도착하였다

♠ **속삭임 | 힐러의 메시지**
앎을 통해 자신을 발견한다
거기가 진정한 목적지다

단 한 명만이라도

그대가 행복할 수 있다면
난 그대에게 가겠소

그대가 눈물을 그칠 수만 있다면
난 그대를 위해 무엇이든 하겠소

그대가 지독한 외로움을 벗어날 수 있다면
난 그대의 친구가 되겠소

그대가 절망뿐이라고 비탄해하는 곳에서
단 하나의 희망을 줄 수 있다면
난 그대의 한 줄기 희망이 되겠소

믿음도
신뢰도
따뜻함도 사라져 버린 세상에서
단 한 명이라도 진실함을 찾기 원한다면
난 그대가 있는 곳으로 달려가겠소

진실도 없고
사랑도 없고
이 세상은 속고 속이는 곳이라며
마음의 문을 닫아버린 그대여

나, 하나의 등불이 되리다

가시떨기나무 아래
외로이 떨고 있는 무명새처럼
길 잃은 그대의 영원한 친구로 남고 싶소

단 한 명만이라도
이 세상에서 행복을 발견할 수 있다면

단 한 명만이라도
이 세상에서 사랑을 발견할 수 있다면

단 한 명만이라도
이 세상에서 진실을 발견할 수 있다면

나 그대의 곁으로 가리다

♠ 속삭임 | 힐러의 메시지
다만 진실함으로 오시오
그거 하나면 되오

윤회의 서

긴 시간의 꿈을 꾸고 깨어난 느낌이야

너랑 즐겁고 행복한 시간
울고 아파하면서
좌절과 낙담 속에서 방황하기도 하고
다시 길을 찾아 떠났던 여행

대한민국이라는 곳에서
단군이 터를 잡고
세종과 이순신이 지켜내고
김구가 희망을 노래하던 곳

3.1 운동과 독립운동
4.19와 6월 항쟁
5.18과 촛불혁명
금 모으기와 2002 월드컵
이산가족 찾기와 k-한류가 일어난 땅

각본 없는 드라마와
반전에 반전을 더하며
숨이 끊어질 듯 말 듯
역전의 영웅들이 나타나 일으키고
이름 없이 역사의 뒤안길로 사라지기를
그렇게 이어진 대한민국의 질긴 대서사시

지금도 많이 아파
그래도 우리는 길을 걷지

임진왜란과 병자호란
일제강점기와 6.25 전쟁
그리고 어두운 독재 시대를 지나
오늘도 여전히 말기암 환자처럼
무너짐과 일어서기를 반복하고 있어

하지만 그 무너짐의 여전히는
그 일어섬의 여전히도 동일해

고려거란전쟁을 봐도
그 여전히는 작동돼
바람 앞에 등불처럼 사그라지는 순간에
서희라는 거목이 오히려 역전승을 거두고
양규와 강감찬 같은 성웅들이 나타나 나라를 지켜내고
어려서 부모를 잃고, 거란 침공으로
일개 지역 관리들에게 멸시와 천대,
배신까지 당하며 쫓겨 다닌 현종이
가장 현명한 군주가 되는 일어섬은
역시 영웅은 난세에 탄생한다고 봐

힘들어?
외로워?
울고 싶어?
떠나고 싶어?
누구도 너를 모른다고 생각해?

일어나!
다시 시작해!
넌 난세의 영웅이야!
훌훌 털고 이 난세를 뚫고 너만의 세상을 만들어!
다시 오지 않을 이생에서 너의 그림을 그려줘!
다시 태어날 너의 후손에게 너를 남겨줘!

긴 것 같지만
나, 잠깐의 꿈을 꾸었어!

일어나 보니
여긴 플라톤의 아틀란티스야!

♠ 속삭임 | 힐러의 메시지
나를 만나기 위해 너에게로 가는 여행 중
그 세계는 이렇게 다시 시작된다

다름과 틀림의 차이

우리는 다름은 인정하지만
틀림은 옳지 않다고 한다.

그럼 무엇이 다름이고
무엇이 틀림인가?

이렇게 질문하면 알기는 알겠는데
그 단어에 대한 정의나 개념은 잘 모른다.
그냥 사전적 의미만 안다.

틀림은 서로 어그러져 맞지 않거나
바른 점에서 어긋나는 것을 말한다.
다름은 다른 것과 구별되는 것을 말한다.

차별이나 혐오에 대한 경계를 할 때
틀림보다는 다름을 이해하는 차원에서
접근할 것을 권장한다.
그때 우리는 폭력성에서
벗어날 수 있기 때문이다.

그런데 무엇이 틀린 것이고
무엇이 다른 것이기에 그러한가?

어떤 것은 차별이나 혐오가 되고
어떤 것은 문제를 제기하고

어떤 것은 허용하고
어떤 것은 법적인 처벌을 해야 하는지
뚜렷한 구분이 필요하다.

그래서 이런 사전적 정의보다는
사회적, 문화적, 인간관계적, 세계적 차원에서
틀림과 다름을 인지하는 것이 중요하다.

틀림은 타인을 해롭게 하는 행위다.
다름은 공존의 개념이다.
그것은 물질적, 정신적, 시간적,
공간적 개념이 모두 포함된다.

우리는 아무리 달라도 공존할 수 있다.
국가와 종교, 민족과 인종
지역과 문화, 성별과 세대 등
그것은 시대를 초월하여 아무리 달라도 상관없다.

하지만 틀림은 절대 공존할 수 없다.
종교가 다르고, 민족이 다르고
국가와 인종이 다르면 그들의 개념은
무조건 자기와 맞지 않으면 해롭게 하려는
잘못된 틀림의 개념으로 접근하기에
공존이 불가능하다.

타인을 배척하고 있다면
이미 틀림의 삶을 사는 것이요
타인을 이롭게 하고 있다면

당신은 이미 공존의 삶을 살고 있다.

틀림은 상대를 해롭게 하기에
인류는 결국 공멸이지만
다름은 공존을 추구하기에
하등의 다름이 상관없이
서로를 이롭게 한다.

♠ 속삭임 | 힐러의 메시지
당신은 공존을 추구하는가
아니면 공멸을 추구하는가

알아차림의 다른 말

삶은 알아차림을 통해 성숙한다.
왜냐하면 무엇이 올바른지 분별하는
과정을 거치기 때문이다.

그 사건이 일어난 결과는
어떤 이유이며
그로 인하여 어떠한 영향을 받아
그러한 일이 일어났는지 인지한다.

알아차림은 무엇을 인지하는 과정인데
사고를 깊이 하는 작용을 거친다.
생각 좀 하고 살아라 하는 것처럼
생각을 깊이 하면 분별력이 높아지기 때문이다.

분별력은 알아차림의 또 다른 이름이다.
인지, 인식, 주시, 관찰과 같은 행위다.
우리가 무언가를 알아차릴 때
사용하는 언어들이 있다.
아래와 같은 말은 무언가를 알아차리는
각성의 효과를 높여준다.

능동형 알아차림은,
아하 아차 아이고 아이코 맞아
헐 이런 세상에 그렇구나 알았다
그래 어머나 엄마야 어떻게 오또케

젠장 이크 에구머니 아뿔싸 찾았다
앗 유레카 웁스 OMG 깜짝이야

거울형 알아차림은,
저런 설마 글쎄 미치겠네 미쳤어
그거야 (뭘 보고)조심해야지 반면교사

타자형 알아차림은,
또또 뭐하냐 뭐하니 조심해
그럴줄_알았어 또_그런다
정신차려 하지마 지금_뭐하니

이와 같이 알아차림은 능동 작용이며
자신뿐만 아니라
타인의 삶을 통해서도 인지한다.

지적질이나 잔소리, 바가지 또한
타자를 향한 알아차림이지만
능동적인 형태가 아니기에 변화될 수 없다.
그러므로 수동적인 형태로는 알아차릴 수 없다.

다만 지적질이나 잔소리를
수용하는 사람은 변화된다.
타인의 말을 수용하는 것 자체가 경청이며
능동적인 자세이기 때문이다.

지적질과 같은 잔소리 형태는
부정형이라 수용하기 어려운 것이다.

그래서 긍정적인 사고방식이나
긍정형의 언어나 행동이 영향력을 발휘한다.

알아차림의 반대는 무의식이다.
자신도 모르게 무의식적으로 행동하기 때문이다.
자신이 지금 무슨 짓을 하는지
무슨 짓을 했는지 자각하지 못하므로
타인에게 막대한 피해를 주는데도 인지하지 못한다.

우리는 이런 사람을 가리켜
개념이 없다
천지 분간을 못한다
머리를 어디다 두고 다니냐 라고 말한다.

이와 같이 알아차림은
다양한 경험을 통한 알아차림의
누적된 성숙이며
마음 씀씀이를 통한
지성인의 아름다운 삶이다.

알아차림은
각성을 강화시켜
깨달음의 경지로 이끈다.

♠ 속삭임 | 힐러의 메시지

알아차림은 삶의 각성제다

우리의 울타리

우리라는 개념은
묶어준다는 의미다.
너와 나,
복수의 모두를

어떤 집단이나 공동체 또는
우리가 하나라는 문화 형성의 뿌리다.

이는 울타리의 개념과 비슷한데
고대 씨족이나 부족 공동체의 형성은
가족의 개념으로 묶어졌다.
집단을 위험으로부터 보호하고,
생명의 안녕을 지키기에 유리했기 때문이다.

인간은 혼자라는 소외감을 두려워하기에
어딘가 또는 무언가에 소속되기를 원한다.
거기에서 안정감을 느낀다.

함께할 때 생존할 수 있다는
고대 부족 공동체의 개념이
모두를 이롭게 하라는
홍익인간의 정신과 일맥상통하여
대한민국의 '우리'라는 문화를 형성한 듯하다.

우리랑

우리끼리
우리 함께
우리 엄마
우리 동네
우리 친구
우리나라 등

우리 함께 밥 먹으러 갈래?
우리끼리 뭐 하나 해볼까?
우리가 뭉치면 못할 게 없어!
우리랑 함께 할래?
너 우리 회사에 들어올래?

이렇게 '우리'는 '하나'라는
공동체 의식을 느끼게 한다.
이것은 너와 내가 다르다는 적대감보다
서로를 아끼고, 보호하고
사랑해야 할 대상으로 감싸준다.

대한민국의 이러한 사상은
국가나 민족, 종교와 인종
문화와 세대 간의 갈등을 넘어
더 큰 세상으로 우리를 뭉치게 해준다.
서로의 다름을 틀림으로 생각하여 싸우는
우리 모두를 하나의 울타리로 묶어준다.

세계는 하나다.
우리는 하나다.

그렇게 우리는 함께
한 부모 밑에 하나 된 자녀로서
서로를 지켜내는 형제자매요 가족이다.

우리의 하나 된 정신이
인류 행복의 울타리가 되어
춤추는 그날이 오늘이기를 기도한다.

♠ 속삭임 | 힐러의 메시지
우리의 울타리를 회복하라

옳은 길을 가는 사람들은

옳은 길을 가는 사람들은
약자인 것 같지만 강자며
유약한 것 같지만 흔들림이 없으며
불안한 것 같지만 맑다.

이는 그 마음에
지조와 기개를 가진 증거다.

현상계의 삶은 흐려서
인간의 마음을 흔들어 놓는다.

이에 그 마음이 혼탁하면
물욕에 흔들리게 되어 있으며
그 또한 명예를 위해 포장된다.

같은 마음을 가진 이들이 볼 때
그들은 훌륭한 인간으로 보이나
맑은 눈을 가진 이가 바라볼 때
썩은 내가 진동하는 시궁창보다 더 추악하다.

맑다는 것은 옳다는 것이며
옳다는 것은 순수하며
그 삶이 진실하다는 증거다.

이는 타인이 보는 잣대보다

오히려 자신이 자신을 보는 잣대가
더 가혹할 정도로 명징하다.

양심이 혼탁한 자들은
자신을 속이고 타협하는 인간들이지만
맑은 영혼의 가치를 추구하는 자는
타인을 향해 한없는 아량을 베풀지라도
스스로에는 절대 타협하지 않는다.

그들은 스스로의 소신과 신념을 지키며
모든 것, 곧 생명까지 잃을지라도
자신과의 약속을 저버리지 않는다.

이는 그들이
세상의 어떠한 법보다 앞서며
존엄한 삶을 위해 스스로 선택한
그들만의 법칙이 있기 때문이다.

♠ **속삭임 | 힐러의 메시지**
나는 그렇게 살아가기로 스스로 서약했다

여기에 온 이유

나는 네가 올 줄 알았어

너는 찾았거든
너는 배고픔을 알았거든
너는 허기짐 채우기를
멈추지 않았거든

많은 이들이 찾아
하지만 거기까지야
지쳐서
배고파서
사람들의 시선 때문에
다시 돌아가

네 영혼이 아니라고 하는데
네 영혼이 배고파하는데
사람들이 길이 없다고 했지
다들 그렇게 산다고

너도 그들의 유혹이 무수히 손짓하는데
넌 포기하지 않았어
넌 다시 돌아가기를 거부했지
왜냐하면 거기엔
너를 만족시킬 수 없다는 걸 알기에

저 멀리 날아가
더 높이 날아가
네가 가고자 하는 곳
네가 찾고자 하는 그곳으로

신념이 길을 잃으면 비굴이 되고
진실이 길을 잃으면 가면을 쓰고
삶이 진리를 잃으면 자기 합리화하지

진실은 외롭지만 평안하고
이타애를 가진 신념은
보이지 않지만 스스로를 증명하며
네 삶이 올바르면
미소가 떠나가지 않음을 스스로 알 거야

많은 길을 돌고 돌아왔지만
방황과 갈등이 너의 영혼을 사로잡았지만
멈추지 않는 집념과
옳음을 위해 아픔을 삼켜내는 인내가
너를 일으켜

진정한 사랑을 찾아
어떻게 사는 길이 옳은 길인지
알고 싶어 했던 어린 왕자가
그렇게 사랑했던 한 송이 장미를 뒤로 하고
기나긴 다른 세계로의 여행을 선택하였고
그로 인해 길들인 존재의 가치,
함께 하였던 소중한 날들의 가치를 발견하였던 것처럼

네가 살아가는 여기 이곳에서의 존재함
그것이 얼마나 아름답고 빛나는 순간인지를
네가 더욱 알아가기를 부탁할게

너와 함께 살아가는 사람들과
여기 잠시 머무르는 그 순간을 아껴줘
너는 빛나기 위해 여기 왔고
그 빛을 함께 나누고 누리기 위해 왔기에

♠ **속삭임 | 힐러의 메시지**
사랑이 너를 부르고 있어

생각지 않은

그걸 우리는 은총이라 해

생각지도 않았는데
놀라운 선물을 받았어

예전에는 맨날 울었는데
안 준다고 ㅎㅎ

너무 웃겨
그렇게 배채기를 해놓고선
은총이라니

니 입이 부끄럽지 않니
민망하지 않어 ㅎㅎ

너무 힘들 땐 그랬지
내가 괜히 이 길을 선택했다고
나, 안 가겠다고 생떼도 부렸지

아니 심지어 탈선하겠다고
이제 내 멋대로 살 테니
제발 간섭하지 말라고도 했지

너 웃기다
니가 생각해도 웃기지? ㅎㅎ

안 줄 때는 배채기 하더니
이제는 은총이라고?

뭐 인간이 다 그런 게 아니겠어요?
감정의 동물이라
힘들고 슬프면 울고불고
좋으면 배시시 하는

그래도 많이 참고 노력했다고요
뭐 의도도 나쁘지 않았고
근데 오히려 어두운 그림자만
아니 하고한 날 그렇게 안 되게 할 수가 있어요?

제 입장이 되어보시라구요
육체의 한계를 가지고
그렇게 오랜 시간 했으면
뭔가 시늉이라도 보여줘야죠

음, 생각해 보면
전혀 개무시는 아니었죠
나무말미처럼 스치듯
햇살을 비추어 주었으니깐요 ㅎㅎ

하여간 지금은 웃네요
시간을 그렇게 많이 투자하고
말로 다하지 못할 희생을 미리 알았다면
아마 안 갔을 걸요

하지만 마지막은 좋네요

혼자라도 웃을 수 있다니
아무도 알아주지 않아도
혼자서 웃을 수 있다는 것은
아무도 모르는 보물을 가졌다는 거니까요

뭐 그걸로 만족하겠습니다
그런데 그게 나만 가질 수 있는
그런 보물은 아니군요

모두를 위한 은총이면서
감추어져 있기에 귀하군요

♠ 속삭임 | 힐러의 메시지
너를 위한 그리고 나를 위한 사랑의 안내서

이타애 그리고 거대한 착각

이타애,
그건 거대한 착각이야
아니 환상이라고 해야 하나

사람들은 이타애가 위대한 줄 알고
또 그렇게 교육받았고 추앙해

성현들은 그걸 요구했고
종교는 그걸 가르쳐

그러나 사람들은
그것은 돈이 안 된다고 하고
권력이나 명예에 도움이 안 되기에 거부하지

이타애,
머리로는 그렇게 해야 한다고 배우지만
실생활에서는 대부분 선택하지 않지

누가 이익이 되지 않는 것을
이렇게 휘황찬란한 자본주의 세상에서 선택하겠어

그런데 사람들은 그렇게 경쟁에서 이기고
쟁취해서 엄청 많이 가졌는데 불행하다고 해
고독하고 외롭다고 해
자기 속마음을 털어놓을 친구가 없다고 해
세상이 각박하고 삭막하다고 외치면서

아무리 행복을 좇아도 불행만 쫓아와

그건 사람들이 원리를 잘못 알고 있기 때문이야
이타애는 남을 위한 게 아냐
이타애=자기애야
이타애는 타인을 돕고
그들을 행복하게 하려고 자기 희생하는 줄 착각해
거대한 착각이지

자기가 진짜 행복해질 수 있는 것이 이타애인데
그런 행복을 스스로 짓밟고
어떻게 사람들이 행복을 바라냐고

어떻게 하면 저 인간을 속이고 사기 쳐서
자기 이익을 볼까 오로지 그런 생각으로 만나는데
거기서 무슨 행복을 추구하냐고
어이없어

자기 부모도 속이고
자식도 속이고
배우자도 속이고 죽이면서 행복을 달라고 해
어이없어
미친 거지

이타애란 진정한 자기애야
겉으로 흉내 내는 이타애가 아니라
내 몸처럼 진정으로 아끼고 존중하는
그런 이타애를 발휘할 때

그때 모든 사람은 진짜 가족이야
너를 진정으로 사랑하고 아끼는
네 속마음을 마음껏 털어놓아도 좋을
그런 친구가 되지

그렇게 행복을 좇아도 좇아도
만날 수 없었던 행복이
이제는 불행할래야 불행할 수 없는
그런 행복 속에서 매일 살게 돼

이타애가
진정으로 이기적인 자기애야
이기심의 끝판왕

♠ 속삭임 | 힐러의 메시지
진짜 자기를 사랑해 봐
환상 속에서 자기를 사랑하지 말고

하나였던 우리 ; 다시 하나로

거기에 네가 있다는 것을 알아.
또 다른 나(我)이지.

한때 우리는 길을 잃었지.
그리고 기억도 잃었어.

이제 다시 찾았어.
우리는 원래 하나였음을.

방대한 세계에서
모든 것을 가졌지만
가질 수 없었던 하나

그것은 있음의 없음을 몰랐지.
우리는 있는 데도 찾았어.
왜냐하면 없음은 존재하지 않았기에
볼 수도, 느낄 수도, 이해할 수도 없었지.

행복도
사랑도
부함도
건강도
영원함도 가졌지만

그것이 그것인지는
인지할 수 없었어.

비교 대상이 사라지면
있는 것도 인지할 수 없기에.

그래서 우린 기억을 잃은 채
이곳 물질계로 여행 왔지.
있음을 잊고 없음을 깨달아
다시 있음의 고마움을 인지하려고.

슬프고
아프면서
배고픔과
이별을 고하면서 우리는 알아갔어.

그것이 있음은
없음을 통해 고귀해진다는 사실을.

있음이 오래되면
고마움은 사라지고
당연함이 그 자리를 차지해.
우리의 모든 것들이 그렇지.

그래서 이제 알았어.
없음의 상태에서
모든 죽어가는 것들을 사랑하여야 함을.

그것만이 진실이며
그것만이 순수이며
그것만이 사랑이며
그것만이 아름다움이라는 것을

우리의 없음을 통해 증명되는 있음임을.

가난할 때 손을 내밀어 줘.
힘들 때 사랑을 줘.
슬플 때 기쁨을 나눠 줘.
아플 때 그에게 다가가 줘.

누군가 울고 있으면
그곳으로 가 줘.
없음을 통해 있음을 증명해 줘.

내 사랑아!

♠ 속삭임 | 힐러의 메시지
그에게 다가감은 곧 너에게 다가옴이야!

너와 함께 떠나는 여행

세계관이 넓은 사람이 있다.
내가 세계관이 좁으면
그가 한심하게 보인다.

하지만 세계관이 넓어지면
그 사람이 얼마나
아름다운 삶을 살았는지 깨닫는다.

보이지 않으면서
다 아는 것처럼 말하는 것이
얼마나 어리석었는지 그때 가서야 깨닫는다.

부모님의 사랑이 그렇다.
이타애가 그렇다.
나눔과 배려를 하는 이가 그렇다.

그들은 바보라서 그렇게 사는 것이 아니다.
그렇게 살아야만 우리가 사는 세상이
따뜻해질 수 있음을 깨달았기 때문이다.

울고 있는 사람의 얼굴에서
눈물을 그치게 할 수 있기 때문이다.
그 사람이 남이라고 생각하기 때문에
우리는 무관심해진다.

그런데 그 대상이 어느 순간 자신이 될 때가 있다.

그렇게 야박하게 살았더니 자신의 주변에는
자신을 위로해 줄 사람이 하나도 없는 것이다.

그래서 내가 외로울 때
내 눈에서 눈물이 흐르고
그 누구에게도 위로받을 수 없을 때
그 누구로부터 위로받을 수 있는 사람이
혹여나 예전에 위로해 주었던
그로부터 위로받을 수 있기 때문이다.

우리가 살아가는 이 지구는
생각보다 그렇게 넓지 않다.
돌고 돌아 다시 그 사람을 만날 수 있다.

삶이란 그렇게 돌고 돌아
서로 의지하고
서로 위로하며
고단한 인생의 여정을
잘 마치고 돌아오기를 바라는
부모의 바램과 같은 것이다.

♠ **속삭임 | 힐러의 메시지**
그래서 우리는 외롭지 않다

나에게 나아오라

침묵의 고요가 흐른다.

이 시간이 지나면
미명의 어둠을 뚫고
찬란한 태양이 떠오를 것이다.

침묵과 고요의 세계로 들어갈수록
나는 없고 그만 있다.
거기 가장 고요한 순수가
나에게 어서 오라고 손짓한다.

옳음은 거짓을 허용할 수 없으며
사랑은 사랑이 아닌 것을 견딜 수 없기에

진실로 자기를 빛난 보석처럼
아름답게 가꾸고자 하는 사람은
먼지 묻은 마음을 스스로 용납할 수 없다.

진실로 자기를 사랑하는 사람은
진리 대로 살아갈 수밖에 없다.

빛에 가까이 갈수록
빛은 나의 어둠을 보여 주었다.

예전에는 괜찮았던 것들이
털끝만한 먼지도 털어내도록 만든다.

아니 이제는 스스로 허용할 수 없다.
그 진실이 너무 고귀하고
그 진리가 너무 아름답기에
순수 그 자체로 서 있는 사랑은
그것이 되지 않고는 멈출 수 없다.

아, 순수여!
아, 진리여!
아, 진실이여!
아, 티 없이 맑은 사랑이여!

그대가 담대하다면
나에게 나아오라!
거기 그대가 용기를 발휘할 만한
그 가치 이상의 충분함이 있도다!

백옥처럼 희고
눈꽃처럼 아름다우며
거울처럼 투명한 영혼이여!

그것이 아닌 상태는
그것이 아닌 존재이기에
거기와 여기서도 있을 수 없네.

내 모든 것을 잃고서도
그대와 하나가 된다면
내 모든 것을 태우리!
내 모든 것을 미련 없이 내려놓으리!

♠ 속삭임 | 힐러의 메시지

진리와 마주하면 할수록
거만한 자아는 녹아내리고
침묵과 겸손이 아이에게도 고개를 숙이게 한다.

OMG

에필로그

글을 마무리하며 안부를 전한다. 지금도 긴 여정의 길을 걸으며 하루하루를 곤히 살아내고 있는 우리 모두에게

"다들 잘 지내? 아니 다들 잘 지내고 있는 거죠. 우리 보고픈 날에 만나요. 그리고 우리 어느 곳에서 인연의 바람이 불어올 때 서로 마주 보며 미소를 보내요. 가장 따뜻한 미소를..."

그런 따뜻한 날들의 바람이 불어오기를 시 한 편, 한 편에 담았다.

제1장 사랑에는, 사랑으로 태어나 사랑을 먹고 자라고, 다시 사랑의 존재를 탄생시킴으로 사랑 속에서 살아가야 할 우리들의 가장 숭고한 사랑을 완성형으로 만들어 가기를 바라는 소망을 담았다.

제2장 친구에는, 아이 적부터 청소년기를 지나 성인이 되어 노년에 이르기까지 우리가 가장 그리워하고, 우리 곁을 지키며, 우리의 속마음을 가장 많이 터놓고, 평생을 동행하며 위로가 되어주는 친구의 소중함을 이야기한다.

제3장 내면의 길은, 살면서 끊임없이 들려오는 '나는 누구인가?'에 대하여 자신과 만나는 삶의 정체성과 존재성을 인식하기를 그리고 자신을 신뢰하고, 아끼면서 '나'라는 존재를 사랑으로 기억되기를 바라는 염원을 담았다.

제4장 삶과 휴식 그리고 취미는, 지친 삶을 향해 100M 달리기하듯 몰아치는 시간 속에서 가끔은 뒤를 돌아보고, 여유와 의미를 찾

는 여행 그리고 취미와 자기 계발을 통해 스트레스에서 벗어나 성장과 성취감, 자기 효능감을 통해 자존감을 회복하는 위로의 편지를 전해준다.

제5장 운명과 역행자는, 주어진 환경이나 상황, 운명은 누구에게나 있지만, 그 운명을 뛰어넘어 도전하고 개척할 수 있는 힘과 용기 그리고 기회는 스스로 내면의 선택에 의해 창출할 수 있음을 주장하였다. 가끔은 미친 척 도전해 보는 삶이 어쩌면 스스로에게 주는 가장 큰 선물일 수도 있다고 말해준다.

제6장 언어의 그릇 ; 감정과 생각은, 결국 우리는 언어라는 그릇을 통하여 내용을 담아 상대방에게 전달하는데, 그 그릇에는 의미만 담기는 것이 아니라 생각과 감정까지 담아서 전달한다. 그러므로 제대로 된 의미만 전달하는 것이 아니라 습관화된 톤과 말투, 무의식 밑바닥에 숨겨진 생각들 그리고 숨기고자 하는 미세한 감정의 느낌들을 알게 모르게 담아서 전달한다. 그러므로 우리의 언어는 본래 전달하고자 하는 의미를 상쇄시키고, 오염된 언어를 전달하게 된다. 그때 상대방은 기분이 나쁘고, 상처를 받으며, 무시와 오해를 하게 된다.

그러므로 오염되지 않은 순수한 의미를 담아서 전달하거나 아니면 따뜻한 감정을 실어서 전달하는 것이 얼마나 중요한지 언어라는 그릇의 중요성을 말한다. 몇 초간 생각의 거름망을 통하여 더 나은 언어를 선택하는 것, 그 행위 자체가 놀라운 결과를 가져온다. 대부분 상대방의 말에 담겨 있는 문자적 의미보다는 감정이나 의도된 심리적 느낌에 반응하여 대응하기 때문에 본질이 흐려진다. 마치 파블로프의 개처럼 반사적으로 대응하기 때문에 생각의 여지는 끼어들 틈이 없다.

대부분 감정의 상처들은 이와 같은 반사적 언어의 대응 때문에 일어난다. 그런데 누가 몇 초간 생각의 여지를 통해 말을 한다는 것은 이미 상대에 대한 배려가 그 행위에 들어가 있다. 그러므로 반사적 감정에 의하여 이루어진 언어에 비해 훨씬 순화된 언어들이 선택적으로 사용되어진다. 이것이 우리가 알고 있는 지식을 삶으로 녹아내어 따뜻하게 살아가는 방식이다. 고약한 구두쇠 스크루지가 춥고, 외로운 영혼의 여행을 마치고, 아름답고 행복하게 변화된 할아버지로 태어난 것과 같은 현상이다.

제7장 진리 그리고 공동체는, 우리 인류는 결국 지구라는 하나의 공동체에 사는 집단이며, 울타리이기에 하나라는 범주로 확장하기를 바라는 꿈을 꾸었다. 너와 나, 가족과 이웃, 지역과 단체, 기업과 학교, 민족과 국가, 종교와 인종은 따지고 보면 인간이 만든 범주의 울타리들이다. 그것을 확장하는 개념이 진리다. 너와 내가 따로가 아닌 하나임을 알려주고, 함께 지구라는 울타리에 살아갈 가족이라는 의미다.

이렇게 하나임을 인식하고, 증명하는 것은 가까운 사람들과 이웃에게 따듯한 한마디의 말을 전하는 것에서 시작된다. 왜냐하면 우리는 모두 따뜻함에 굶주리며 살아가고 있기 때문이다. 서로에게 좀 더 가까이 다가가기를 바라면서 이 시집은 그런 따뜻한 언어들을 가득 담았다.

"친구들이 어떻게 지내는지 물어보는 게 중요하다는 걸 배웠어!"

따뜻함으로 포장된 언어처럼 행복한 언어는 없다. 우리는 모두 그런 배려를 기다리고 있다. 그런 안부를 듣고 싶어 한다. 엘모처럼 손을 내밀어 그런 따뜻한 안부를 먼저 묻는 친구로 다가가기를 기도한다.

우리가 사는 이곳이 좀 더 따뜻한 세상이 되기를 바라며
봄날의 안부를 전한다.

2024년 3월

윤 정 현